L'ART SACRÉ
en Amérique française

LE TRÉSOR DE LA CÔTE-DE-BEAUPRÉ

L'ART SACRÉ
en Amérique française

LE TRÉSOR DE LA CÔTE-DE-BEAUPRÉ

Madeleine Landry
Robert Derome

SEPTENTRION nouveau monde* éditions

Les éditions du Septentrion remercient le Conseil des Arts du Canada pour son soutien à l'édition et à la traduction, la Société de développement des entreprises culturelles du Québec (SODEC) pour son aide, ainsi que le gouvernement du Québec pour son Programme de crédit d'impôt. Nous reconnaissons également l'aide financière du gouvernement du Canada par l'entremise du Programme d'aide au développement de l'industrie de l'édition (PADIÉ).

Direction éditoriale : Gilles Herman et Denis Vaugeois
Direction artistique et graphisme : Louise Méthé
Conseiller scientifique : Laurier Lacroix
Correction d'épreuves : Solange Deschênes

En couverture :
Jésus adolescent, Claude François dit le frère Luc (1614-1685), huile sur toile, église de Saint-Joachim (détail)
Ciboire, XVIIᵉ siècle, France, L'Ange-Gardien, Detroit Institute of Arts (détail)
Décor intérieur de l'église de Saint-Joachim, 1816-1825, François Baillairgé (1759-1830) et Thomas Baillairgé (1791-1859) (détail)
En 4ᵉ couverture :
L'Ange-Gardien avec l'île d'Orléans sur l'autre rive, 1829, James Pattison Cockburn (1779-1847)
Clocher de l'ancienne église de Sainte-Anne-de-Beaupré, Claude Baillif (1635-1698)
Chapiteau d'une des trois colonnes que l'on voit à Rome près de S. Cosme et S. Damien, Philibert de L'Orme (1514-1570)
Sur le rabat :
Carte des paroisses le long du Saint-Laurent (détail), 1700
Madone, 1845, atelier des Sœurs Grises

Si vous désirez être tenu au courant des publications des ÉDITIONS DU SEPTENTRION vous pouvez nous écrire au 1300, av. Maguire, Sillery (Québec) G1T 1Z3 ou par télécopieur (418) 527-4978 ou consulter notre catalogue sur Internet : www.septentrion.qc.ca

© Les éditions du Septentrion
1300, av. Maguire
Sillery (Québec)
G1T 1Z3

En coédition avec
Nouveau Monde éditions
24, rue des Grands Augustins
75006 Paris France

Dépôt légal - 4ᵉ trimestre 2005
Bibliothèque nationale du Québec
ISBN 2-89448-428-3

Diffusion au Canada :
Diffusion Dimedia
539, boul. Lebeau
Saint-Laurent (Québec)
H4N 1S2

Diffusion en Europe :
Sodis NM
ISBN 2-84736-141-3

Abréviations

AAQ	Archives de l'archevêché de Québec
ANC	Archives nationales du Canada
ANQ-Q	Archives nationales du Québec à Québec
ASQ	Archives du Séminaire de Québec
CAC	Collection d'architecture canadienne John Bland, Université McGill
CCQ	Centre de conservation du Québec
FGM	Fonds Gérard Morisset
MAF	Musée de l'Amérique française
MBAC	Musée des beaux-arts du Canada
MC	Musée de la civilisation
MNBAQ	Musée national des beaux-arts du Québec
MSA	Musée de sainte Anne
QQIBC	Inventaire des biens culturels
SME	Séminaire des missions étrangères

Madeleine Landry a rédigé les sections portant sur la configuration des églises, le décor intérieur, les tabernacles et les tableaux.

Robert Derome a rédigé la section portant sur l'orfèvrerie.

Catalogage avant publication de Bibliothèque et Archives Canada

Landry, Madeleine, 1942-

L'art sacré en Amérique française : le trésor de la Côte-de-Beaupré

Publ. en collab. avec Nouveau monde.
Comprend des réf. bibliogr. et un index.

ISBN 2-89448-428-3

1. Art chrétien – Québec (Province) – Côte-de-Beaupré (Région). 2. Objets religieux – Québec (Province) – Côte-de-Beaupré (Région). 3. Orfèvrerie (Objets) – Québec (Province) – Côte-de-Beaupré (Région). 4. Architecture religieuse – Québec (Province) – Côte-de-Beaupré (Région). 5. Art chrétien – Québec (Province) – Côte-de-Beaupré – Ouvrages illustrés. I. Derome, Robert. II. Titre.

N7913.A3Q8 2005 704.9'482'0971448 C2005-941598-3

Préface

Une région, un pays

Localisé sur la Côte-de-Beaupré, à quelques kilomètres du lieu de fondation de la Nouvelle-France, un petit îlot de paroisses rurales témoigne d'une relation au sacré dans une Amérique française qui couvrira les trois quarts du continent nord-américain. Par leur architecture, leur ornementation et leurs objets de culte ou de dévotion, ces paroisses sont représentatives de l'ensemble des paroisses catholiques et françaises d'Amérique du Nord.

Certes le cas de la Côte-de-Beaupré paraît exceptionnel tant par la qualité et la densité des œuvres que par leur préservation jusqu'à nos jours. Son ancienneté et l'identité de son pasteur, l'évêque de Québec, qui appuie personnellement et financièrement ces établissements, ont favorisé la constitution d'un trésor d'art sacré magnifique. La conception et l'aménagement de ces églises paroissiales constituent en quelque sorte à la fois un joyau et un exemple, puisque, au fil de leur création, toutes les églises paroissiales se dotent de semblables trésors de peinture, de sculpture et d'orfèvrerie.

Cette histoire paraît pourtant s'inscrire dans un contexte paradoxal. Elle oscille entre le local et le continental, entre la recherche d'autosuffisance et l'œuvre de civilisation, entre le quotidien du simple habitant et l'expression religieuse surnaturelle, entre la vie et les fins dernières, entre l'ordinaire et le sublime, de l'artisanat à l'art.

Au cœur de cette histoire, l'exemple témoin retenu est tout simple : quelques petites agglomérations rurales. En 1725, elles comptent au total environ 150 familles. Malgré l'ancienneté de leur peuplement, leur possibilité de développement est limitée par la présence du bouclier canadien dont le sol rocheux plonge jusqu'aux rives du fleuve Saint-Laurent. Elles ne seront érigées canoniquement en paroisse que dans les années 1670 au moment où François de Laval devient évêque en titre de la Nouvelle-France. À la fin du Régime français, l'évêque de Québec a autorité sur un réseau d'environ 100 paroisses. Un siècle plus tard, c'est par centaines que se comptent les communautés paroissiales disséminées à la grandeur du continent, sans compter les nombreux établissements de communautés religieuses d'hommes et de femmes, les sanctuaires et les missions.

Le diocèse

En mai 1659, François de Laval est nommé vicaire apostolique de la Nouvelle-France. Le 1er octobre 1674, il devient officiellement évêque de Québec. Le diocèse de Québec correspond alors aux limites de la colonie, c'est-à-dire les trois quarts du continent nord-américain. Il couvre les colonies atlantiques du golfe du Saint-Laurent, la plaine laurentienne, de Gaspé jusqu'aux Grands Lacs, le pays des Illinois et la vallée du Mississippi jusqu'en Louisiane. Seules échappent à sa juridiction les colonies britanniques confinées à la rive atlantique. Au XIXe siècle, de nouveaux diocèses sont découpés à même celui de Québec, mais le 12 juillet 1844 les quatre diocèses du Canada sont regroupés en province ecclésiastique métropolitaine sous l'autorité de l'archevêque de Québec.

Ce diocèse d'une ampleur exceptionnelle demeurera au cœur de l'organisation religieuse, sociale et culturelle de l'Amérique française des débuts jusqu'au milieu du XIXe siècle. Au lendemain de la Conquête de la Nouvelle-France par les troupes britanniques, dès le 2 juillet 1760, l'on nomme d'ailleurs des vicaires généraux pour les régions de Québec, Montréal, Trois-Rivières, mais aussi l'Acadie, les Illinois et la Louisiane ainsi que les postes au nord et à l'ouest de la colonie. Dans sa visite pastorale des paroisses relevant de sa juridiction en 1815-1816, Mgr Plessis se rend à New York, Boston, Chicago, Détroit, Saint-Louis, Louisbourg, Sydney et Halifax.

La paroisse

Issue du concile de Trente et de la Contre-réforme, l'institution paroissiale, dans sa version modernisée et épurée, a grandi dans l'espace européen avant d'être transplantée en Amérique. Les principaux fondateurs de la Nouvelle-France, ceux du moins qui ont mis en œuvre un programme religieux, François de Laval pour Québec et Jean-Jacques Olier pour Montréal, ont été liés à la Compagnie du Saint-Sacrement, à l'École française de spiritualité fondée sur la liturgie et le catéchisme. Celle-ci insistait sur l'initiation sacramentelle des enfants, la formation religieuse, morale et les traditions culturelles. Au surplus, cette Église s'est implantée en terrain vierge. La conformité et l'observance régulière de ses préceptes s'y sont exprimées sans déviation et avec une grande dévotion. Fondement de l'identité, la communauté paroissiale a même constitué pour les Canadiens français émigrés aux États-Unis au XIXe siècle l'équivalent de la patrie.

Une paroisse est créée quand existe une communauté de fidèles suffisante en nombre pour assurer sa viabilité et celle de son pasteur. Comme elle est la cellule de base de l'organisation ecclésiastique, tous les actes de la vie religieuse du chrétien se déroulent obligatoirement dans la paroisse. Pôle de la vie surnaturelle des fidèles, elle constitue

John Richard Coke Smyth
*L'intérieur de la chapelle
des Ursulines à Québec,*
1838
Aquarelle, 25,5 x 28,5 cm
Collection particulière

un lieu et un mode d'encadrement du peuple chrétien, un lieu d'intégration sociale parfaite, un lieu de référence. Au cœur du village, généralement située sur un emplacement surélevé, l'église paroissiale domine le paysage et ses clochers incitent à l'élévation des âmes. Au cœur du quotidien, les cloches définissent les temps de la journée, le rythme des travaux saisonniers et les grands moments de la vie : naissance, mariage, décès. Au cœur des collectivités locales, la paroisse génère un esprit d'appartenance affirmée où se vivent les dévotions collectives. Elle compte une église, un pasteur, des fidèles ; et ces fidèles forment une communauté.

La paroisse imprègne également les milieux de vie. Au-delà de son caractère d'entité religieuse, elle définit de grands segments de la vie sociale. L'institution religieuse met à profit l'appui de l'État. Son découpage territorial persiste jusqu'à nos jours, surtout en milieu rural. Elle veille à la culture de la population par l'éducation et le catéchisme. Elle inscrit les fêtes populaires sous l'égide des fêtes patronales et calendaires. Elle informe par les prônes. Elle assure l'assistance aux pauvres et aux malades. Elle se prolonge dans le quotidien et dans le temps, chacun gardant précieusement ses souvenirs de communion ou de confirmation.

9

L'art religieux

L'église paroissiale, lieu de culte, se veut le reflet et l'expression de la grandeur de la foi. Le culte divin doit y être célébré dignement. Ainsi, l'église paroissiale devient un foyer artistique où œuvrent architecte, peintre, sculpteur et orfèvre. Outils d'apostolat, pouvoirs de l'image, instruments de communication, les trésors d'église ainsi constitués visent à refléter les aspirations morales de la communauté et à prôner la convergence du regard vers le sens du sacré.

L'art rend visible. Il ancre la religion dans des objets de culte et il incarne un idéal pétri de valeurs chrétiennes. Le décor des églises paroissiales est élaboré pour instruire et pour édifier. Il vise moins l'apparat ou la magnificence que la beauté et la grandeur aptes à entretenir la ferveur religieuse. Il propose d'honorer et de glorifier la Vierge ou les saints, voire de les imiter ou de recourir à eux pour obtenir assistance et protection. En somme, il soutient le discours des valeurs religieuses. Il s'agit de former à la piété et aux vertus d'humilité, de pauvreté et de générosité.

Les artisans et artistes qui ont réalisé ces œuvres ont été pour la majorité formés en France, notamment auprès de membres des grandes académies. Leur production a le plus souvent tiré directement ses sources d'inspiration des modèles artistiques français. Autels, tabernacles, chaires du prédicateur, fonts baptismaux se distinguent par la puissance des formes et la finesse du décor. Les vases sacrés et les objets de culte – crucifix, calice, ciboire, ostensoir, reliquaires, encensoir, burettes, bénitier, lampe du sanctuaire – portent la marque d'orfèvres soucieux de la qualité d'une œuvre appelée à traverser les siècles. Les peintures de la Vierge, des anges ou des saints, inspirées d'un même modèle et remarquables par l'ampleur des drapés, offrent des variantes intéressantes. Les sculptures des mêmes personnages sont souvent anoblies par un travail raffiné de dorure, ce que cette publication réussit à rendre de façon tout à fait exceptionnelle.

Le décor, le mobilier, les œuvres d'art sont conçus comme des offrandes et un hommage rendu à Dieu. Les trésors d'art religieux que recèlent les paroisses en Amérique française et celles de la Côte-de-Beaupré en particulier témoignent de la vie et des valeurs de la communauté des fidèles. Ils sont à la fois signes d'appartenance et objets d'élévation de l'âme. La population s'y reconnaît. Elle s'y attache dans les aspirations, les croyances et les valeurs qu'ils symbolisent, qu'elles soient d'inspiration classique caractérisée par l'harmonie et l'équilibre ou d'inspiration baroque favorisant l'expression des émotions.

Un précieux patrimoine

Ces objets témoins du passé constituent un trésor, un patrimoine digne d'admiration. Ils offrent une illustration éloquente de la vie religieuse à une époque donnée. Ils risquent cependant de se perdre. De tout temps, ce patrimoine a été marqué par sa fragilité et sa vulnérabilité, causées par le feu, la dispersion par vente ou cession, mais aussi par la dilapidation, comme le rappelle ce fameux procès au terme duquel la communauté paroissiale a pu récupérer ses biens.

Mais quelle est l'importance de ce legs pour le présent ? Quel est son rôle dans une société devenue largement multiconfessionnelle et multiculturelle ? Au-delà de son évocation de nature religieuse, de sa source d'inspiration artistique purement française et de sa généralisation à la grandeur du continent nord-américain, il constitue un héritage à faire valoir, un point de référence pour la culture, l'art, la vie sociale et la civilisation. Il traduit un attachement à des valeurs. Il favorise l'épanouissement de la collectivité des hommes. Il impose un devoir de préservation et de diffusion, mais plus encore de réinsertion dans la culture.

Ce livre magnifiquement illustré, fondé sur une recherche de qualité et à la portée de tous, fait ressortir certes les richesses d'un trésor artistique qui a marqué une époque et un continent, mais plus encore il offre une référence symbolique et concrète à des valeurs pérennes.

Jacques Mathieu
Université Laval

1
Claude Lefèbvre
(1632-1675)
*Portrait de
Jean-Baptiste Colbert*,
(vue partielle),
vers 1663
Huile, 130 x 96 cm
France,
Château de Versailles

Avant-propos

Cet ouvrage a pour but de retracer le trésor d'art religieux amassé sur la Côte-de-Beaupré au cours des siècles et aujourd'hui dispersé.

Les premiers éléments qui vont constituer le trésor remontent au XVIIᵉ siècle. Peuplée dès le début du Régime français et située tout près de Québec, la Côte-de-Beaupré se développe sous le règne du roi Louis XIV (1638-1715). Quatre églises sont construites au cours du Grand Siècle, au moment où Jean-Baptiste Colbert (1619-1683) administre la colonie selon la politique de grandeur du Roi-soleil[1]. « Les dignitaires envoyés en Nouvelle-France s'entourent d'objets et d'œuvres dont la qualité les associe au pouvoir royal[2]. » L'art est alors au service de l'État ; le prestige est l'expression de la volonté royale et l'affirmation de sa puissance. Colbert dira à Louis XIV : « Votre majesté sait qu'à défaut des actions éclatantes de la guerre, rien ne marque davantage la grandeur et l'esprit des princes que les bastiments[3]. »

Si le pouvoir politique s'exerce dans un style pompeux, combien plus solennel encore et grandiose se fait le service de Dieu. Le concile de Trente réaffirme la place de l'art au service de la religion ; Mᵍʳ de Laval (1623-1708), premier évêque de Québec et seigneur de Beaupré, est convaincu de cette orientation et saura accorder à la Côte-de-Beaupré un traitement de faveur.

3
Inconnu
Mᵍʳ de Laval, vers 1674
Huile
France,
Château de Chamblac,
collection particulière

2
D'après Le Bernin
(1598-1680)
Louis XIV, vers 1700
Bronze, 84,2 x 100 x 43,2 cm
Québec, Place-Royale

13

4
Thomas Baillairgé
(1791-1859)
Panneau décoratif
Bois doré
L'Ange-Gardien

5
France
avant 1670
Reliquaire
Don de Mgr de Laval
Argent et verre,
18,5 x 11 x 7 cm
Sainte-Anne-de-Beaupré,
MSA

À ces débuts prometteurs, d'autres facteurs se sont ajoutés pour favoriser l'accumulation de richesses. Le peuplement de la Côte-de-Beaupré progresse rapidement et, déjà en 1667, un recensement y dénombre 646 habitants[4]. Bien que les paroissiens soient de simples censitaires qui ont quelques difficultés à régler la dîme[5], leur piété connaît parfois des élans et s'exprime par le don à l'église d'objets de culte coûteux et précieux[6]. Par ailleurs, des donateurs de l'extérieur, comme le marquis de Tracy, le sieur de Courcelle, la reine Anne d'Autriche et des évêques, font l'offrande de présents somptueux qui contribuent à enrichir le trésor de la Côte-de-Beaupré. Sainte-Anne-de-Beaupré devient peu à peu un lieu de pèlerinage où vont affluer fidèles et offrandes.

Les œuvres qui constituent le trésor ont été produites durant la période qui couvre le Régime français et les débuts du Régime anglais, où se manifeste encore un certain temps l'influence française. La date de 1865 est retenue comme l'ultime limite de l'accumulation du trésor de la Côte-de-Beaupré. À compter du milieu du XIXe siècle, certaines innovations techniques vont mener au déclin du travail artisanal. Ainsi, vers 1836, l'invention de la galvanoplastie permet la fabrication de pièces d'orfèvrerie manufacturées et produites en série. À partir de 1850, la photographie concurrence la peinture. L'essor de la navigation à vapeur et la construction de bateaux à coque d'acier accélérèrent le déclin des navires en bois et du métier de sculpteur de figure de proue, ce même artisan qui exécute la statuaire religieuse. Les métiers s'industrialisent à des moments différents pour chacun. Ainsi la fin du XIXe siècle voit s'étioler une longue tradition artisanale, où les ouvrages des siècles précédents apparaissent graduellement désuets. À l'origine, ces pièces ont été créées à des fins cultuelles. Ce n'est qu'avec le temps et un regard contemporain que leurs qualités exceptionnelles ont été reconnues par un nombre croissant de gens leur conférant un statut d'œuvre d'art, voire de chef-d'œuvre[7].

Sur une période d'un peu plus de deux siècles, des œuvres majeures ont été élaborées par les plus grands artistes et artisans de la colonie : Jacques Leblond de Latour (1671-1715), Claude François dit le frère Luc (1614-1685), les deux fils Levasseur : François-Noël (1703-1794) et Jean-Baptiste-Antoine (1717-1775) ; plusieurs membres de la famille Baillairgé : François (1759-1830), Pierre-Florent (1761-1812) et Thomas (1791-1859) ; François Ranvoyzé (1739-1819), Laurent Amiot (1764-1839) et François Sasseville (1797-1864). Le trésor de la Côte-de-Beaupré est né de cette remarquable concentration d'œuvres.

Le terme « trésor » est utilisé ici à plus d'un titre. Au sens large, il comprend l'ensemble des œuvres d'art produites pour les quatre églises anciennes. Au sens plus restreint, il désigne les pièces d'orfèvrerie religieuse liées à l'exercice du culte.

Ce trésor est d'une grande homogénéité et s'est accumulé en deux temps. D'abord autour de 1685, soit pendant les années qui correspondent à la fondation des quatre églises puis, un siècle plus tard, avec les Baillairgé, quand on construit et décore la deuxième église de Saint-Joachim (1779 et 1816) et que l'on effectue plusieurs modifications au décor intérieur des autres églises : L'Ange-Gardien (1801), Château-Richer (1804) et Sainte-Anne-de-Beaupré (1827).

6
Thomas Davies
(1737-1812)
Vue de Château-Richer, du Cap Tourmente et de la pointe orientale de l'Île d'Orléans près de Québec, 1787
Aquarelle, 35,4 x 52,7 cm
Ottawa, MBAC (6275)

7
Claude François dit le frère Luc
(1614-1685)
Jésus adolescent (détail)
Huile sur toile, 56 x 46 cm
Saint-Joachim

8
Anonyme
vers 1833
Instrument de paix
Argent, 10 x 6 cm
L'Ange-Gardien

Victimes de l'usure du temps, et parfois de l'inconscience humaine, des éléments importants du trésor ont été perdus. Cependant, plusieurs œuvres existent toujours, d'abord sur la Côte-de-Beaupré, et ailleurs, dispersées dans quelques églises au Québec ou conservées dans les collections de musées. Grâce à l'image, il est possible de réunir tous les éléments de ce fameux ensemble, dans un « musée imaginaire » comme le rêvait André Malraux[8].

Le trésor de la Côte-de-Beaupré se concentre autour des églises de Château-Richer, de L'Ange-Gardien, de Sainte-Anne-de-Beaupré et de Saint-Joachim qui comptent plus de similitudes que de différences. Dans le présent ouvrage, il sera tour à tour question de la configuration de chaque église et de son décor intérieur, en mettant l'accent sur le retable situé derrière l'autel et sur le tabernacle. L'orfèvrerie sera aussi observée de près, dont la singularité de certaines pièces européennes d'inspiration Louis XIV et parfois même Louis XIII.

Dans ce florilège, on découvre la sculpture sur bois qui atteint un des sommets de l'art au Québec, la peinture du XVIIe siècle et des particularismes régionaux comme les ex-voto. À cela s'ajoutent les œuvres du fonds de tableaux Desjardins et de l'atelier des Sœurs du Bon-Pasteur qui se retrouvent également dans plusieurs églises de la région de Québec.

Pour expliquer le contexte de l'époque, les courants d'idées, les styles en présence et les questions controversées, des textes détachés sur fond gris ajoutent au propos principal.

9
Entourage de Jacques Leblond de Latour
Vierge à l'Enfant (détail), vers 1700
Bois polychrome et doré, 48,8 cm
L'Ange-Gardien

17

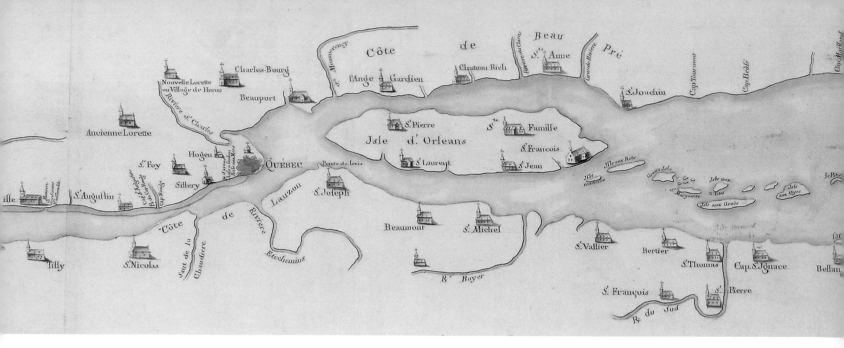

Le Séminaire de Québec
et les cures de Beaupré

11
*Carte des paroisses
le long du Saint-Laurent
(île d'Orléans)*, 1700
France,
Château de Vincennes,
Service historique
de l'Armée de terre
(cote 7B 68)

10
*Monogramme du Séminaire
des missions étrangères*
Arche d'une porte cochère
Québec, Séminaire de Québec

Les liens qui existent entre les paroisses de la Côte-de-Beaupré et le Séminaire de Québec se créent au moment où Mgr de Laval, arrivé en Nouvelle-France en 1659, acquiert la seigneurie de Beaupré entre 1662 et 1668, pour subvenir aux besoins matériels de son nouveau séminaire[9]. Dès lors, les cures de Château-Richer, L'Ange-Gardien, Sainte-Anne-de-Beaupré et Saint-Joachim sont assujetties aux volontés de l'évêque de Québec (aussi seigneur de Beaupré) et formeront un ensemble indissociable. Autorité spirituelle et temporelle émane d'une même personne, de sorte que l'on ne sait pas très bien qui, de l'évêque ou du seigneur, dirige les destinées des paroisses et de la collectivité.

En 1658, le premier diocèse de l'Amérique française voit le jour par la création d'un vicariat apostolique, avec à sa tête, Mgr de Laval, qui unit le Séminaire à la paroisse de Québec, le 15 septembre 1664, et aux cures de Sainte-Anne-de-Beaupré, Château-Richer et L'Ange-Gardien lors de leur création. Par la suite, les nouvelles cures ne seront pas confiées au Séminaire. Mgr de Saint-Vallier, successeur de Mgr de Laval, met fin, en 1692, à l'union des cures de Beaupré avec le Séminaire.

Archives du Séminaire de Québec[10]

On ne peut nier l'influence déterminante de Mgr de Laval dans la conception et la construction des églises de la Côte-de-Beaupré. Exception faite de l'église de Château-Richer qui existait déjà en 1659[11], au moment de son arrivée en Nouvelle-France, Mgr de Laval entreprend et paie, de ses propres deniers, la construction des trois autres églises[12] : 8 711 livres pour l'église de L'Ange-Gardien[13], 4 000 livres pour l'église de Saint-Joachim[14] et 10 000 livres pour l'église de Sainte-Anne-de-Beaupré[15]. Comme à l'accoutumée, les habitants fournissent la main-d'œuvre, les matériaux et la dîme[16].

18

Érection des trois paroisses de Beaupré

Or y ayant déjà beaucoup de fidèles et trois églises bâties dans le lieu communément appelé la Coste de Beaupré, nous avons résolu d'y ériger trois paroisses, surtout d'après le désir qu'en a témoigné sa Majesté très chrétienne, Louis XIV, roi de France, et y étant aussi excité par les prières et les vœux des habitants. C'est pourquoi, après avoir invoqué Dieu, nous avons érigé et par les présentes érigeons les trois dites paroisses, la première sous le nom de la Visitation de la Bienheureuse Vierge Marie au lieu dit Chateauriché, la deuxième sous le nom des Saints Anges Gardiens au lieu appelé Le Caput, la troisième sous le nom de Sainte Anne au lieu dit Le Petit Cap avec leurs lieux et dépendances sous notre entière juridiction et celle de nos Successeurs Évêques de Québec, leur donnant les dîmes pour dot[17].

François, évêque de Québec, 30 octobre 1678

Lorsqu'il arrive à Québec, Mgr de Laval y trouve l'église de Notre-Dame-de-la-Paix, bâtie par les Jésuites en 1647. L'historien de l'architecture Allan Gowans suggère que cette église a servi de prototype pour la construction des églises paroissiales en milieu rural[18]. Plus tard, Luc Noppen dira : « Lorsqu'en 1669, l'évêque entreprend une campagne de construction qui laissera au Québec une quinzaine d'édifices religieux construits en pierre avant 1700, deux éléments majeurs interviennent dans le choix d'un plan. D'une part, le modèle de Notre-Dame-de-la-Paix et d'autre part, une recherche de simplicité[…][19]. »

L'église de Notre-Dame-de-la-Paix sert ainsi de modèle par ses dimensions, la longueur étant deux fois plus grande que la largeur, et par la présence de chapelles latérales donnant à l'ensemble la forme d'une croix latine. Son clocher est fixé au milieu du toit, à la croisée du transept et de la nef, comme dans les églises européennes. La rencontre des charpentes à cet endroit offre un appui plus solide qu'en façade où il faudrait ajouter des piliers pour supporter l'arrière du clocher. Il n'y a donc rien d'étonnant à ce que les premières églises de la Côte-de-Beaupré aient eu un clocher de ce type. Pour paraphraser Noppen, on peut parler d'une grande uniformité dans l'architecture paroissiale de la seconde moitié du XVIIe siècle, au point de conceptualiser cette architecture autour d'une image : celle d'un plan type promu par Mgr de Laval[20].

Donc, ce modèle des premières églises est fort différent de l'image typique de la petite église de campagne avec son clocher en façade. Il deviendra d'usage courant avec le XVIIIe siècle et sera connu sous le nom de plan Maillou (1715) et de plan Conefroy (1800).

12
Plan Maillou, 1715
47 x 36,3 cm
SME (2,77),
Québec, MC,
Archives du Séminaire
de Québec

13
*Prototype de
l'église rurale*
Tiré de Noppen 1977,
*Les églises du Québec
(1600-1850)*

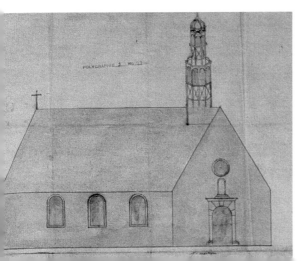

La configuration des églises

D éjà en 1686, une lettre adressée à monsieur Louis Ango des Maizerets, procureur du Séminaire de Québec, fournit des renseignements précis sur la configuration des quatre églises de la Côte-de-Beaupré.

Le temps qu'on a commancé a bastir les Églises de Beaupray…[21]

1658

L'Eglise du Chasteau dédiée au Mystere de la Visitation de Nostre Dame fut commancée en l'esté de l'année 1658. Nous l'abbé de Queylus pour lors grand vicaire à Québec y fut posée la premiere pierre, et fut achevée la dite Eglise les années suivantes.

1659

L'Eglise de Ste Anne pour la premiere fois fut placée sur le bord de la Riviere a la haute marée ; et fut ensuiste portée plus haut sur le bord du grand costeau a cause de l'incommodité des eaux qui l'entouroient dans la premiere place. Cette Eglise n'estoit que de colombages, et longue environ de 40 pieds. Ce fut alors que Dieu commança d'opérer des guérisons par l'Image mira-culeuse de Ste Anne qui y fut mise vers l'an 1661 ou 62. Plusieurs personnes de mérite y ont fais des présens tres considérables et entr'autres Monsr. Le Marquis de Tracy cy devant gouverneur général du pays.

1676

La Nouvelle Eglise bastie de pierre en la place de cette premiere qui n'estoit que de bois, fut commancée l'Esté de 1676 par les soins de feu Mr Fillon, prestre.

1667

L'Église de L'Ange-Gardien, bastie pour la premiere fois fut de colombage et longue d'environ 30 pieds, vers l'année 1667.

1675

La Nouvelle Église qui est de maçonnerie fut commancée un an avant celle de Ste Anne ; à scavoir l'année 1675.

1685

L'Église de St Joachim au Cap Tourmente, bastie de pierre fut commancée l'année derniere, 1685 et a este benitte le 1er dimanche de Juillet 1686.

L'église de Château-Richer

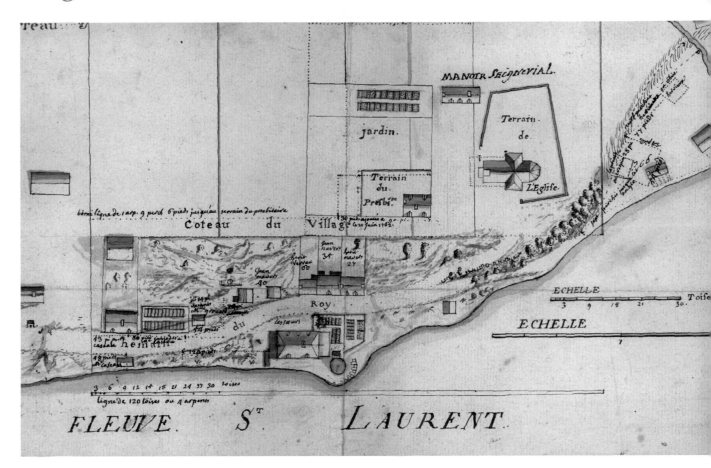

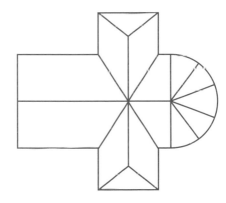

La première église

1658

L'église de Château-Richer (1658-1865) est construite en pierre selon un plan en croix latine et mesure 30 pieds sur 60 pieds. Elle remplace la chapelle de bois érigée en 1635 au pied de la falaise. En 1659, à l'arrivée de Mgr de Laval en Nouvelle-France, il n'y a que deux églises entre Québec et Tadoussac, « une en pierre, bâtie sur le bord du fleuve, au Château-Richer, et la petite église en bois que Monsieur de Queylus a fait commencer à la Bonne-Sainte-Anne[22] ». Selon Gowans, le fait que l'église de Château-Richer n'a été consacrée qu'en 1685 prouve que l'église de 1658 était en bois, car Mgr de Laval ne sacralisait que les églises construites en matériau durable comme la pierre[23]. Cette affirmation est contestable. Les notes adressées à monsieur des Maizerets en 1686 rapportent que Gabriel Thubières de Queylus, le plus haut ecclésiastique du pays, a posé la première pierre en 1658. Par la suite, il n'y a aucune mention dans les livres du Séminaire de Québec de la construction d'une autre église à Château-Richer. En revanche, il est bien indiqué que le Séminaire procure à l'église des vases et ornements liturgiques et en assume l'entretien[24].

14
M. le curé Reische
Carte de Château-Richer,
1752
Québec, MC,
Archives du Séminaire
de Québec
SME5/56

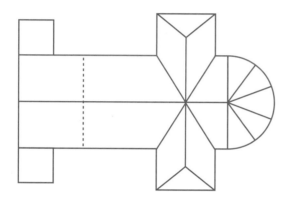

1772

En 1749, l'accroissement de la population de Château-Richer incite Mgr de Pontbriand à ordonner l'allongement de l'église de 30 pieds[25], décision qui devra être reportée jusqu'en 1772, en raison de la guerre de Sept Ans. Les plans d'allongement de 1754 et de 1759 montrent l'intention de remplacer l'église à un clocher par une église à deux clochers. Ces plans ont été suivis car on trouve effectivement, sur une aquarelle de Thomas Davies datée de 1788, une église à deux clochers, comprenant chacun deux tambours et une flèche.

Contrairement à la recommandation initiale, le contrat de 1772 mentionne plutôt une allonge de 20 pieds avec deux tours carrées de 11 pieds de côté[26]. Un relevé de terrain, effectué par la fabrique de la paroisse en 1829, permet d'établir que les tours encadrent le corps central de la façade.

24

La deuxième église

L'église est démolie en 1865. On ne connaît rien de son décor intérieur. Toutefois, six tabernacles et deux piédestaux de colonne, qui semblent avoir appartenu à l'ancienne église de Château-Richer, subsistent encore aujourd'hui et sont conservés au Musée national des beaux-arts du Québec et au Musée des beaux-arts du Canada. Une église plus vaste sera construite en 1865, d'après les plans de l'architecte François-Xavier Berlinguet (1830-1916).

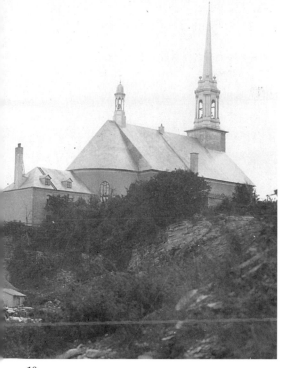

18
Inconnu
L'église de Château-Richer
Photo
ANQ-Q

19
François-Xavier Berlinguet
(1830-1916)
*Plan de l'église de Château-Richer,
vue de côté*, 1865
ANQ-Q,
Fonds Raoul Chênevert

20
François-Xavier Berlinguet
(1830-1916)
*Plan de l'église
de Château-Richer,
vue de façade*, 1865
ANQ-Q,
Fonds Raoul Chênevert

25

21
James Pattison Cockburn
(1779-1847)
*L'Ange-Gardien avec
l'île d'Orléans sur
l'autre rive*, 1829
Aquarelle, 27,9 x 43,8 cm
Ottawa, ANC (C-040014)

22
Ramsay Traquair
*L'église de
L'Ange-Gardien*,
1925
Photo
Montréal, CAC,
Fonds Traquair
(100785)

L'église de L'Ange-Gardien

L'église de L'Ange-Gardien (1675-1932) est construite en pierre par l'abbé François Fillon (1629-1679) et mesure, à l'origine, 30 pieds sur 60 pieds. Elle remplace une petite église de colombage pierroté élevée en 1664, en bordure du chemin qui longe le pied du coteau. Il ne subsiste aucun document d'archives de la paroisse sous le Régime français. Peu de choses sont connues de l'église de L'Ange-Gardien d'alors. Gaspard Dufournel, curé de 1694 à 1757, a présidé à plusieurs décisions importantes en 63 ans de ministère, mais en l'absence de données aux livres de comptes et de correspondance assidue avec le Séminaire, on ignore presque tout de cette période[27].

L'église sera tour à tour allongée et élargie. D'abord en 1828, quand Jérôme Demers (1774-1853), professeur d'architecture au Séminaire de Québec, fournit le plan d'une allonge par la façade de 23 pieds et 6 pouces. Un nouveau clocher, attribué à Thomas Baillairgé, un protégé de l'abbé Demers, est aussi érigé par la même occasion[28]. Une aquarelle de James P. Cockburn, datée de 1829, permet d'admirer la nouvelle façade de style néoclassique québécois inspiré du goût anglais pour l'architecture d'Andrea di Pietro dit Palladio (1508-1580). Cet allongement de l'église ne modifie pas le plan en croix latine de l'édifice.

En 1875, d'après les plans de l'architecte Joseph-Ferdinand Peachy (1830-1903), on élargit l'église de 14 pieds de chaque côté de la nef. L'ancienne sacristie est démolie au profit d'une nouvelle, surmontée d'un clocheton. L'aspect général de l'église en est complètement modifié. Comme en font foi quelques photographies anciennes, son allure autrefois élancée devient plutôt écrasée. En 1932, l'église est complètement détruite par le feu, mais on réussit à sauver quelques éléments du décor intérieur, dont le tabernacle, les célèbres sculptures en bois des deux anges, un important tableau et quelques colonnes.

L'église de Sainte-Anne-de-Beaupré

L'église de Sainte-Anne-de-Beaupré (1676-1876) connaîtra deux siècles d'activités religieuses intenses. La tradition alloue le projet de construction de l'église en pierre au curé François Fillon (1629-1679), procureur du Séminaire de Québec et grand bâtisseur.

D'abord, une chapelle est élevée en 1659, suivie en 1660 d'une église en colombage pierroté et d'une église de pierre en 1676. Cette dernière est considérablement modifiée en 1689 par Claude Baillif[29] (1635-1698) qui ne conserve que le portail. Honoré comme le plus fameux architecte de la Nouvelle-France, Claude Baillif a aussi élaboré les plans de l'église de Notre-Dame-des-Victoires et du Palais épiscopal. Par ses caractéristiques architecturales, l'église de Sainte-Anne-de-Beaupré est conforme au modèle de l'église de Notre-Dame-de-la-Paix, avec sa nef unique et les chapelles latérales donnant à l'ensemble la forme d'une croix latine. En 1689, l'église mesure 80 pieds de long. En 1694, on l'allonge de 20 pieds pour atteindre une longueur totale de 100 pieds. Deux ans plus tard, en 1696, on déplace le clocher en façade alors qu'il se dressait encore à la croisée du transept et de la nef[30]. Refait en 1788 en réutilisant les dessins de Claude Baillif et déplacé en 1878 sur la chapelle commémorative, ce clocher existe encore aujourd'hui.

En 1787, d'importants travaux sont entrepris pour régler un problème d'humidité dans les fondations. L'église est alors reconstruite en entier, au même endroit et selon le même plan ; on profite aussi de l'occasion pour rehausser légèrement les murs[31] et réajuster l'entablement. Les planchers sont refaits, en plus de la voûte, suivant le modèle de 1696. Une sacristie est ajoutée au chevet en 1805, ainsi qu'une chaire et un jubé entre 1805 et 1807. L'église est démolie en 1876.

L'église de Saint-Joachim

La première église

Il existe peu d'information sur l'église en pierre de Saint-Joachim (1685-1759). Elle doit sa construction à une initiative de Mgr de Laval, comme en fait foi l'acte de fondation du 6 octobre 1684 qui stipule : « Ayant reconnu la nécessité de faire bastir une chapelle dans le domaine de Cap Tourmente […] et le besoin qu'il en a aussi d'entretenir au dict lieu un prestre qui puisse prendre le soin d'instruire les pauvres enfants que nous y faisons élever dans la piété et former au travail[32]. »

Parmi les nombreux documents relatifs à l'édification des premières églises et conservés au Séminaire de Québec, l'archéologue Michel Gaumond a extrait quelques données sur la construction de l'église de Saint-Joachim. Toutefois, cette information ne renseigne guère sur l'aspect de l'édifice. Les fouilles archéologiques ne révèlent rien d'autre que des pierres, des clous, des ferrures, un bénitier en calcaire, un chapelet, des fragments d'une croix en fer et des sépultures. Ces travaux d'archéologie ont permis de mettre au jour des vestiges de fondations qui certifient l'ajout de chapelles latérales et l'allongement de l'église par la façade, effectués en 1725-1726, selon les inscriptions aux livres de comptes du Séminaire de Québec[33].

Aucune description ne subsiste de cette église établie sur le site de la Grande Ferme, pourtant un endroit très fréquenté, à proximité du cap Tourmente. Le 18 août 1749, le botaniste suédois Pehr Kalm (1716-1779) passe la nuit à la Grande Ferme et note dans son journal une très brève observation : « Une belle église est annexée à la ferme[34]. » Cette première église de Saint-Joachim devait ressembler à l'ancienne église de Saint-Laurent à l'île d'Orléans dont il existe des photographies prises avant sa démolition en 1864. Construite en 1695, elle avait la même configuration au sol et les mêmes dimensions que l'église de Saint-Joachim[35].

L'église de Saint-Joachim est incendiée en août 1759 par les troupes du général Wolfe, en représailles à la résistance organisée par le curé Philippe-René Robineau de Portneuf (1707-1759) et ses ouailles[36]. Cependant, on présume que des ornements liturgiques, des pièces d'orfèvrerie et certains des objets transportables ont été sauvés, comme en font foi un ostensoir du début du XVIIIe siècle, des ornements brodés et un tableau de *Saint Louis de Gonzague* qui existent toujours.

27
É.-Z. Massicotte
*Deuxième église
de Saint-Joachim*
Photo, 1933
Montréal, CAC,
Fonds Traquair
(104618)

La deuxième église

Une seconde église sera élevée en 1779, cette fois située au cœur de la paroisse de
Saint-Joachim. Bien qu'elle soit beaucoup plus tardive que les trois autres églises de la
seigneurie de Beaupré et bâtie sous le Régime anglais, elle mérite d'être incluse dans le
groupe étudié, tant sa conception est d'inspiration française. L'église a été construite de
pierres recouvertes de crépi. Une petite sacristie est ajoutée à l'arrière en 1805. L'église est
allongée par l'avant en 1860. Le clocher et la tour sont reconstruits en 1895, d'après les
dessins de l'architecte David Ouellet (1844-1915).

28
H.A.I.V. (T)
L'église de Saint-Joachim,
1933
Dessin tel que construit
Montréal, CAC,
Fonds Traquair (60.0)

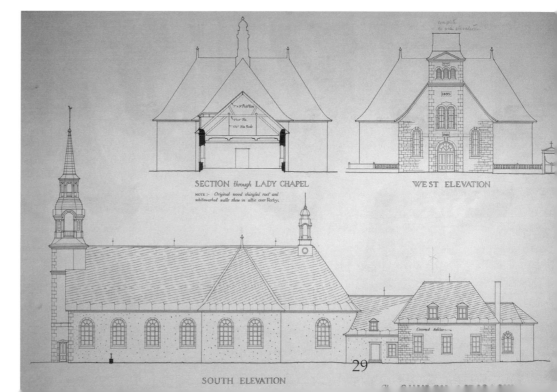

SECTION *through* LADY CHAPEL

WEST ELEVATION

SOUTH ELEVATION

Les décors intérieurs

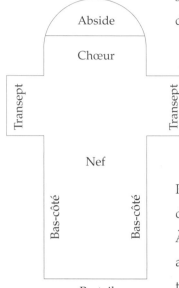

Une église est un lieu de rencontre avec Dieu et le décor intérieur doit conférer à l'endroit le sens du sacré. L'espace doit être conçu et aménagé pour que le regard converge vers le sanctuaire où le prêtre célèbre l'office divin.

C'est ainsi que l'architecte va utiliser toutes les ressources de son art pour créer une progression qui s'amorce à partir du portail, va en augmentant dans la nef et les bas-côtés, et culmine dans le chœur avec, en fond de scène, le retable qui domine la sainte table et le tabernacle.

Pour bien comprendre l'ampleur des efforts déployés pour l'ornementation des églises, il faut savoir qu'au XVIe siècle l'Église traverse la crise du protestantisme. Les protestants nient l'Eucharistie, qualifient d'idolâtre le trafic des indulgences et des images saintes et condamnent les « débordements des arts », si chers aux catholiques.

Par le concile de Trente, l'Église réaffirme son identité, au point de vue aussi bien dogmatique qu'artistique et s'assure que le message soit transmis partout dans le monde. À cause d'une population peu nombreuse et peu fortunée, de l'absence d'une grande aristocratie et de commanditaires royaux, on ne trouvera pas en Nouvelle-France de constructions aussi importantes que celles de l'Europe et de l'Amérique latine. Devant l'impossibilité d'accomplir des œuvres architecturales aussi grandioses que le Gesù de Rome et l'église du Val-de-Grâce à Paris, les architectes vont s'appliquer à réaliser à l'intérieur des églises un décor qui emprunte ses éléments constitutifs à l'architecture extérieure. Le contraste entre la modestie de l'architecture extérieure des églises rurales du Québec et la richesse de leur ornementation intérieure est saisissant. Les fabriques de paroisse vont consentir des sommes importantes pour la réalisation de ces décors, car il s'agit bien de décors dans tous les sens du mot. Au théâtre, le décor est placé au fond de la scène pour servir de cadre à l'action dramatique. Lors de la messe, le drame de la passion du Christ se déroule sur l'autel et le retable est conçu comme le fond de scène le plus monumental imaginé par les architectes.

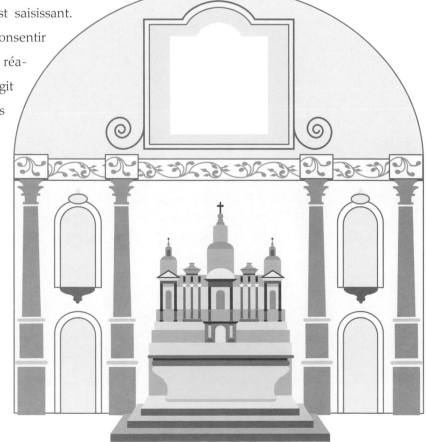

29
*Retable de l'ancienne église
de Sainte-Anne-de-Beaupré*
Reconstitution

Ainsi que l'affirme Jean Trudel « les sources françaises de cette tradition, basée sur les façades des églises de la Renaissance connues par les nombreux traités d'architecture illustrés, ne font aucun doute[37] ».

Faute de documentation visuelle des XVIIe et XVIIIe siècles, l'arrangement intérieur des églises de la Côte-de-Beaupré est mal connu. On ne peut concevoir la décoration de la nef, des bas-côtés et de la voûte qu'à partir des descriptions d'églises construites à la même époque. Il est difficile de comparer les retables de la Côte-de-Beaupré avec ceux qui existaient ailleurs sous le Régime français. Il ne subsiste que deux retables de cette époque, bien qu'ils ont été remaniés au XIXe siècle, soit celui des Ursulines de Québec (1737)[38] et celui de l'église des Récollets de Montréal (1702) qui décore maintenant l'église de Saint-Grégoire de Nicolet[39].

30
Pierre-Noël Levasseur
(1690-1770)

Retable de la chapelle des Ursulines

Restauré par le Centre de conservation du Québec
Québec, Monastère des Ursulines

33

Cependant, grâce aux gravures tirées des dessins de Richard Short effectués en 1759 au lendemain de la Conquête, deux autres intérieurs d'église et leurs retables ont pu être connus, soit celui de la chapelle du Collège des Jésuites (1666) et celui de la chapelle des Récollets de Québec (1693). Comme il s'agit des plus anciennes représentations du genre, ces dessins sont d'une importance particulière. Ces deux retables ont des similitudes. Des colonnes corinthiennes divisent le chevet en trois zones. La partie centrale est réservée au tabernacle surmonté d'un grand tableau. Les parties latérales sont divisées en deux : la section du bas est dotée de portes ou de panneaux et la section supérieure comprend des niches destinées à recevoir des statues ou des tableaux.

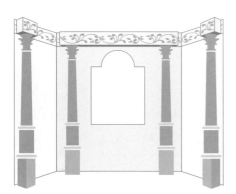

Retable en hémicycle

31
Richard Short
gravé par Anthony Walker
*Intérieur de l'église
des Jésuites en 1759*
Gravure
ANQ-Q

Ce qui distingue les deux retables, c'est leur configuration dans l'espace du chœur. Celui de la chapelle des Jésuites est en hémicycle et les trois sections suivent le fond de l'abside comme un triptyque ouvert à 135 degrés. Faisant corps avec l'édifice, ce type de retable ne laisse aucune place pour la sacristie qui fait alors partie d'une construction adjacente.

Retable à la récollette

32
Richard Short
gravé par C. Grignion
*Intérieur de l'église
des Récollets de Québec
en 1759*
Gravure
ANQ-Q

L'autre type de retable, dit « à la récollette » par certains auteurs, est installé sur un chevet plat : il est adossé à une cloison droite qui sépare le sanctuaire de l'arrière-chœur utilisé comme sacristie. Ce type de retable prend la forme d'un arc de triomphe et connaîtra une grande vogue dans la décoration des églises du XVIIe et du XVIIIe siècle. Les premiers retables élaborés pour l'église de Sainte-Anne-de-Beaupré et de L'Ange-Gardien font partie de ce groupe, tout comme celui des Ursulines de Québec et celui des Récollets de Montréal.

Classicisme en France et en Nouvelle-France

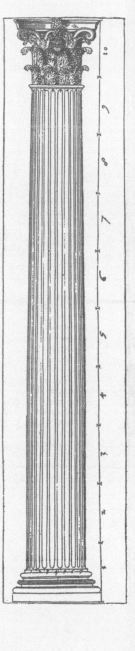

Gérard Lavallée a essayé d'établir un parallèle entre la décoration des églises des provinces françaises de l'époque et celles qui ont été érigées ici.

« Il faut avoir parcouru les églises françaises décorées ou redécorées à cette époque pour constater comment les traditions sont fortement établies et comment le syncrétisme qui en caractérise l'ornementation laisse poindre continuellement les influences classiques. Et les lois qui semblent régir l'art religieux en France seront appliquées ici. Nous allons retrouver cette même continuité dans l'élaboration du décor architectural du XVIIe au milieu du XIXe siècle. Le même traditionalisme ou le même classicisme issu d'un baroque tempéré et, qu'à un certain moment, le rococo viendra distraire de son trop grand sérieux[40]. »

Le classicisme se définit comme l'ensemble des caractères propres aux grandes œuvres littéraires et artistiques de l'Antiquité et du XVIIe siècle. Les principes de l'esthétique classique se distinguent par la recherche de l'équilibre, de la clarté, du naturel et le goût de la mesure.

Le classicisme émerge en France autour des années 1660-1680 avec la volonté de faire du règne de Louis XIV un grand règne. Dans le domaine des arts, Colbert instaure une politique d'acquisition d'œuvres antiques et modernes. Il envoie les artistes français se former à l'étranger, il recrute les meilleurs artistes des pays voisins et réorganise les académies de peinture (1664), de sciences (1666) et d'architecture (1671). « Il assure ainsi aux œuvres une qualité supérieure capable de dépasser les modes passagères et d'atteindre la postérité comme les œuvres antiques[41]. »

Charles Le Brun (1619-1690) devient le premier directeur de l'Académie de peinture et de sculpture de Paris. Il a foi dans le modèle antique : les anciens sont parvenus à un équilibre harmonieux entre la réalité et l'idéal, entre la nature et cette perfection qui n'existe que dans l'esprit humain. Jacques-François Blondel (1705-1774), directeur de l'Académie d'architecture, tient des propos analogues et prône le retour à l'antique et aux théoriciens partisans de Vitruve (1er siècle avant J.-C.), comme Giacomo Barozzi dit Vignole (1507-1573) qui recommande le respect des ordres architecturaux (colonnes), l'observation des proportions et la convenance de l'ornementation.

Ainsi, au XVIIe siècle, l'art des retables s'inspire de cette esthétique architecturale pour créer des ouvrages qui ont l'apparence d'édifices ou de petits temples. « Autour de 1690, les retables doivent leur caractère essentiel à leurs colonnes majestueuses et droites surmontées de chapiteaux, frises et architraves, aux belles formes géométriques des frontons triangulaires et des guirlandes de dès. Les statues aux draperies harmonieuses adoptent une allure plus paisible. De l'agitation baroque, on passe non certes à une simplicité que personne ne recherche, mais à la gravité sereine d'un art classique[42]. »

33
Philibert de L'Orme
(1514-1570)
Chapiteau d'une des trois colonnes que l'on voit à Rome près de S. Cosme et S. Damien
Tiré du traité d'architecture de 1567

34
Philibert de L'Orme
(1514-1570)
Choses dignes de noter de la première invention des parties des Colonnes Corinthiennes
Tiré du traité d'architecture de 1567

Le décor intérieur de l'église de Sainte-Anne-de-Beaupré

D'après les photographies de l'ancienne église démolie en 1876, le retable de Sainte-Anne-de-Beaupré correspond au type de retable dressé sur un fond plat où quatre colonnes sur piédestaux répartissent l'espace en trois sections. La section principale inclut le tabernacle alors que les sections latérales sont occupées par deux niches placées au-dessus des portes de la sacristie.

35
Retable de l'ancienne église de Sainte-Anne-de-Beaupré
Reconstitution
Emplacement d'origine probable des œuvres qui subsistent aujourd'hui

Le grand tableau de *l'Éducation de la Vierge aux pèlerins*, flanqué de volutes en console, trône très haut au-dessus de l'autel et dépasse même le niveau de l'entablement ; ce tableau cintré à l'oreille touche à la voûte. Ce genre d'arrangement avec une section centrale importante située au-dessus de l'entablement s'apparente à celui de la chapelle des Ursulines de Québec (1732).

38
Inconnu
Sainte Madeleine,
XVIIIe siècle
Bois doré, 166 cm
Sainte-Anne-de-Beaupré,
MSA

Les niches latérales abritent deux statues, soit *la Sainte Madeleine* et *le Saint Jean*. René Villeneuve a vu dans ces statues un programme iconographique représentant deux voies conduisant au Christ : le péché et la vertu[43]. Cependant, la statue de sainte Madeleine n'a pas les attributs habituels de la Madeleine pécheresse avec ses longs cheveux[44]. Elle est entièrement couverte d'une robe et d'un ample voile et exprime l'affliction des saintes femmes au pied de la croix. Cela explique mieux la présence d'un saint Jean éploré à ses côtés. À l'origine, les deux statues étaient polychromes, mais une dorure a été appliquée par la suite. Seul *le Saint Jean* a été restauré par le Centre de conservation du Québec. Ces statues ne sont ni signées ni datées. Mais, comme elles révèlent une facture ancienne, elles pourraient avoir été exécutées pour le retable de l'église construite en 1696. Le 23 mars 1707, le sculpteur Jacques Leblond de Latour remet au curé Antoine Chabot[45] une quittance pour des travaux faits dans son église. Cependant, les attitudes un peu rigides de ces deux œuvres contrastent avec la maîtrise et le style flamboyant des anges sculptés par Leblond de Latour pour l'église de L'Ange-Gardien (fig. 48, 49).

39
Inconnu
Saint Jean, XVIIIᵉ siècle
Bois polychrome, 164 cm
Restauré par le Centre de
conservation du Québec
Sainte-Anne-de-Beaupré,
MSA

Réalisée par François Baillairgé entre 1805 et 1807, la chaire a été offerte à la paroisse par le curé François-Ignace Ranvoyzé (1772-1843), grand amateur d'art et fils du célèbre orfèvre François Ranvoyzé[46]. Sur la face principale, un bas-relief représente Moïse transmettant les dix commandements à son peuple. Le panneau latéral a été inversé pour permettre l'aménagement de l'escalier du côté droit du chœur dans la chapelle commémorative.

En 1876, au moment de la démolition de la vieille église, plusieurs éléments de la décoration sont transférés dans la chapelle commémorative, dont des colonnes et des composantes de la voûte, comme les arcs et les rosaces.

40
Entourage de Jacques Leblond de Latour
Colonne de l'ancienne église de Sainte-Anne-de-Beaupré
Bois doré, 326 cm
Sainte-Anne-de-Beaupré, chapelle commémorative

41
François Baillairgé (1791-1859)
Chaire de l'ancienne église de Sainte-Anne-de-Beaupré, vers 1805
Bois doré, 177 cm
Sainte-Anne-de-Beaupré, chapelle commémorative

42
Attribué à Charles Vézina (1685-1755)
Rosace de la voûte de l'ancienne église de Sainte-Anne-de-Beaupré
Bois polychrome
Sainte-Anne-de-Beaupré, chapelle commémorative

43
Inconnu
*Statue miraculeuse
de Sainte-Anne*,
don de Mgr de Laval
en 1661
Bois doré, 49 cm
Sainte-Anne-de-Beaupré,
MSA

La statue miraculeuse de sainte Anne

En 1661, Mgr de Laval offre au sanctuaire de l'église de Sainte-Anne-de-Beaupré une statuette de sainte Anne, en bois doré, importée de France et représentant *l'éducation de la Vierge*. Le pouvoir de guérison de la statue est souligné dès le début, notamment par monsieur des Maizerets, procureur du Séminaire de Québec. « Ce fut alors que Dieu commença à opérer des guérisons par l'image miraculeuse de sainte Anne qui y fut mise vers 1661 ou 1662[47]. »

La Madone en carton-pâte

Une très belle madone en carton-pâte orne l'autel latéral gauche au XIXe siècle. Elle a été confectionnée par l'atelier des Sœurs Grises de Montréal en 1845. Le procédé de fabrication des statues en carton-pâte a été transmis aux religieuses en 1843 par le père Adrien Telmon (1807-1878), l'un des fondateurs de la mission canadienne des Oblats de Marie-Immaculée, arrivés au pays en 1841[48].

44
Atelier des Sœurs Grises
Madone, 1845
Carton-pâte polychrome, 152 cm
Sainte-Anne-de-Beaupré

Le décor intérieur de l'église de L'Ange-Gardien

L'église de L'Ange-Gardien offre une variante subtile du retable dit « à la récollette », dressé sur un fond plat. Les photographies prises avant l'incendie de 1932 permettent d'en connaître certains détails. La partie centrale du retable se dresse au milieu de l'abside, devant les deux fenêtres arrière. Elle est flanquée de deux pans placés en oblique qui rejoignent perpendiculairement le mur extérieur. Ces pans sont percés de deux portes surmontées de niches logeant les statues des archanges *Saint Gabriel* et *Saint Michel*, attribuées au sculpteur Leblond de Latour.

45

Retable de l'ancienne église de L'Ange-Gardien modifié en 1801

Reconstitution

Emplacement d'origine probable des œuvres qui subsistent aujourd'hui

Cette configuration particulière s'explique par la décision de la fabrique, en 1801, de reculer le retable de trois à quatre pieds du rond-point[49], probablement pour gagner de l'espace, dans une église déjà trop exiguë. Les travaux sont confiés à Thomas Baillairgé qui n'a pas d'autre choix que de modifier le retable existant, installé à l'origine sur un chevet à fond plat. Avec l'obligation de préserver les deux fenêtres arrière et de les inclure dans l'espace du chœur, il se résout à placer de biais les deux pans latéraux du retable, comprenant les deux portes surmontées des deux niches. Il récupère aussi quatre des six colonnes qui entourent le maître-autel et les installe de part et d'autre des autels latéraux qui seront achetés de l'église de Saint-Laurent de l'île d'Orléans en 1805.

46
Jules-Ernest Livernois
(1851-1933)
Retable de l'ancienne église de L'Ange-Gardien, fin du XIXe siècle
Photo
ANQ-Q

43

Les changements de 1801 ont transfiguré le retable d'origine, mais la conservation des six colonnes, du tabernacle, des deux statues et du tableau donne une idée du somptueux décor attribué à Leblond de Latour, de son unité d'ensemble et de sa théâtralité baroque[50]. Peinture, sculpture et mobilier s'articulent pour former un tout cohérent. Le tableau de *L'Ange Gardien* en constitue le motif central. Le retable derrière le tabernacle a l'apparence d'un édifice, soit un arc de triomphe avec ses colonnes corinthiennes cannelées et richement ornées de guirlandes de roses. Ce motif de fleurs sculptées est repris sur le cadre du grand tableau et permet l'intégration de la toile du frère Luc à l'ensemble. Les autres éléments du retable sont fort élaborés ; la sculpture ornementale des niches, des socles de statues et des dais, ainsi que le jeu de bandes qui encadrent les treillis placés au-dessus des portes, confèrent à cet ensemble imposant richesse et grandeur[51]. Les statues des archanges, dont la polychromie et les dorures d'origine sont révélées par les restaurations récentes, achèvent l'harmonie des effets de lumière si chers au XVIIe siècle[52]. La qualité d'exécution des deux statues émerveille[53] surtout par son exactitude anatomique et par la souplesse du mouvement. Saint Michel et le dragon sortent de la niche pour franchir l'espace qui les sépare du spectateur. Le drapé de la tunique de l'archange Gabriel et l'ajustement de la cuirasse de saint Michel révèlent la vitalité des corps sous-jacents.

Quant au programme iconographique, il est axé sur le rôle de l'ange en tant que guide, protecteur et messager de Dieu. L'iconographie est simple à expliquer. L'ange gardien sert de guide à l'humain. Saint Michel, chef de la milice céleste, incarne le bras armé qui protège du démon. Saint Gabriel, portant un plastron où se lit *Ave Maria*, annonce à la Vierge qu'elle sera mère. Les recherches effectuées lors des travaux de restauration des deux sculptures ont permis de replacer la palme dans la main gauche de saint Michel, plutôt que dans celle de saint Gabriel qui devait normalement tenir un lys[54].

47
Jules-Ernest Livernois
(1851-1933)
*Niche du retable de
L'Ange-Gardien*
Photo
ANQ-Q (neg E 6F 639)

48
Jacques Leblond de Latour
(1671-1715)
*Saint Michel terrassant
le dragon*, entre 1695-1705
Bois noyer cendré polychrome
et doré, 155,5 x 88 x 50 cm
Restauré par le Centre de
conservation du Québec
Québec, MNBAQ (74.256)

45

49
Jacques Leblond de Latour
(1671-1715)
L'Archange Gabriel,
entre 1695-1705
Bois noyer cendré polychrome
et doré, 152,7 x 75,5 x 51 cm
Restauré par le Centre de
conservation du Québec
Québec, MNBAQ (74.259)

Historien de l'architecture, Ramsay Traquair (1874-1952) s'est longuement attardé aux colonnes corinthiennes. Il existe un ordre croissant dans la complexité des chapiteaux des colonnes, allant du plus simple (dorique), au plus complexe (ionique en spirale) et au plus sophistiqué (à feuilles d'acanthe)[55]. On avait coutume de placer les colonnes doriques à l'entrée des églises, les colonnes ioniques au jubé et de réserver les colonnes corinthiennes pour l'espace le plus sacré du sanctuaire. De plus, au XVIIIe siècle, on fixe à un rapport très précis de 1/10 ou 1/11 la proportion entre le diamètre des colonnes et leur longueur.

Cette question de proportions revêt une importance capitale pour les églises de la Côte-de-Beaupré. En effet, on trouve à L'Ange-Gardien et à Sainte-Anne-de-Beaupré des colonnes corinthiennes trapues dont le rapport entre le diamètre et la hauteur est de 1/8, un indice qui permet de croire qu'elles ont été construites au XVIIe siècle plutôt qu'au XVIIIe siècle. Comme le rappelle Traquair, les maîtres-sculpteurs anciens utilisaient leurs traités de Blondel ou de Vignole et ne se seraient pas permis de déroger aux proportions convenues[56].

Ces colonnes attribuées à Leblond de Latour sont parmi les plus ornées de celles qui ont été fabriquées en Nouvelle-France, garnies de guirlandes de roses jusqu'au tiers de la hauteur et de rameaux fleuris retombant entre les cannelures. Elles rivalisent de beauté avec les colonnes de la chapelle des Ursulines de Québec, aussi décorées de guirlandes de fleurs.

50
Jules-Ernest Livernois
(1851-1933)
*Niche du retable de
L'Ange-Gardien*
Photo
ANQ-Q

51
Jacques Leblond de Latour
(1671-1715)
*Colonne de l'ancienne église
de L'Ange-Gardien*, vers 1705
Bois monochrome et doré,
213,5 x 51 cm
Québec, MNBAQ (74.258.04)

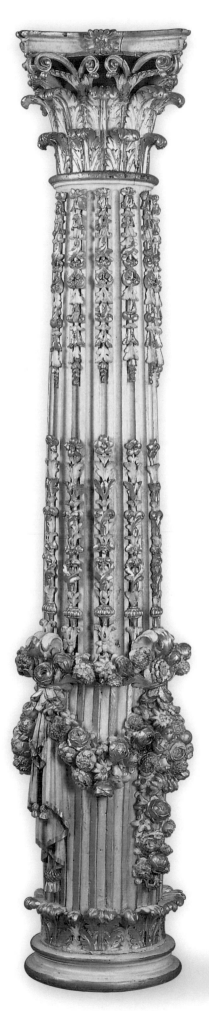

La Madone de procession
de L'Ange-Gardien

La Madone de L'Ange-Gardien, réputée miraculeuse, s'inscrit dans la grande dévotion à la Vierge Marie qui fleurit en Nouvelle-France[57]. Longtemps attribuée à Jacques Leblond de Latour, elle est maintenant considérée d'origine inconnue, datant de la fin du XVIIe ou du début du XVIIIe siècle. Utilisée comme statuette de procession[58], cette Vierge à l'Enfant reprend les attitudes privilégiées par plusieurs sculpteurs de la colonie[59]. Gérard Morisset la décrit ainsi : « La Vierge, tout emmitouflée dans un manteau au lourd drapé, tient son enfant sur le bras gauche ; elle est pensive, mais dans son expression, il n'y a pas trace de tristesse ; l'Enfant Jésus, gros bébé souriant, étend les bras en un geste gracieux[60]. »

52
Inconnu
Madone de procession,
XVIIIᵉ siècle
Bois polychrome et doré,
40,3 cm
L'Ange-Gardien

Jacques Leblond de Latour (1671-1715)

Jacques Leblond de Latour naît à Bordeaux en 1671. Son père, Antoine, membre de l'Académie royale de peinture et de sculpture de Paris et membre fondateur de l'Académie de Bordeaux, devient premier professeur de cette dernière à compter de 1691[61]. Si, à partir de 1648, l'apprentissage de la sculpture peut se faire à l'Académie de Paris, la formation auprès d'un maître artisan se perpétue pendant des décennies. En tant que fils d'académicien, Jacques Leblond de Latour a bénéficié d'une formation théorique qui le prédisposait à un rôle d'enseignant. Il arrive en Nouvelle-France en 1690 et entre au Séminaire de Québec en 1696 où il est ordonné prêtre en 1706.

Dans la description de l'aménagement de la chapelle du Séminaire qu'il fait en 1700, Claude-Charles Le Roy dit Bacqueville de La Potherie[62] mentionne que « la sculpture a été faite par des séminaristes » au rang desquels Jacques Leblond de Latour occupe probablement une place importante. Il aurait assumé la direction de l'atelier de sculpture du Séminaire de Québec. On dit qu'il a travaillé avec ses élèves sur les retables et autels des trois églises de la Côte-de-Beaupré, soit ceux de Sainte-Anne[63], du Château-Richer et de L'Ange-Gardien, selon les *Transcripta* du Séminaire de Québec[64].

Il a possiblement pris part à la réalisation d'une partie du baldaquin de Neuville car, selon John R. Porter, « il est facile de rapprocher les motifs floraux de l'anneau principal du baldaquin de Mgr de Saint-Vallier, des guirlandes ornant le fût des colonnes des anciens retables de Sainte-Anne-de-Beaupré et de L'Ange-Gardien […]. Plus frappant encore est le rapprochement que l'on peut faire entre les chapiteaux corinthiens de Neuville et ceux de L'Ange-Gardien : ils sont de facture et de proportion absolument identiques[65]. »

Jacques Leblond de Latour a été chanoine au chapitre de l'évêché de Québec, envoyé en Acadie puis expulsé par les Anglais. Nommé curé de la Baye Saint-Paul où il sera enterré, il meurt en 1715 d'une fièvre contractée lors d'une mission à Tadoussac.

53
Attribué à
Jacques Leblond de Latour
(1671-1715)
Détail du baldaquin de Mgr de Saint-Vallier conservé à l'église de Neuville
Bois doré
ANQ-Q

54
Jacques Leblond de Latour
(1671-1715)
Chapiteau corinthien de l'ancienne église de L'Ange-Gardien, vers 1705
Bois doré
Québec, MNBAQ (74.259)

55
Jacques Leblond de Latour
et son entourage
*Piédestaux de colonne
des anciennes églises :*
A- Sainte-Anne-de-Beaupré
B- Château-Richer (hypothèse)
C- L'Ange-Gardien
Bois doré

A   B   C

L'École des arts et métiers
de Saint-Joachim : un mythe

Vers 1668, une école d'arts et métiers aurait existé à la Grande Ferme de Cap-Tourmente. On en attribue la fondation à Mgr de Laval qui, de 1675 à 1690, y aurait engagé comme professeurs des artisans tels que les sculpteurs Samuel Genner et Michel Fauchois, le peintre Cardenas, l'architecte Claude Baillif et deux autres sculpteurs, Denis Maillet et Jacques Leblond de Latour. Ce dernier en aurait été le directeur de 1692 à 1701. On devrait à cette école la décoration des trois églises de la Côte-de-Beaupré ainsi que celle du Séminaire de Québec.

On a beaucoup écrit sur cette école, supposée être le berceau des arts au Canada[66]. Les premiers historiens de l'art, aussi bien anglophones que francophones, ont souscrit à l'idée, de Marius Barbeau, Gérard Morisset et Jean Palardy à Russell Harper, Robert Hubbard et Graham McInnes, pour en nommer quelques-uns.

En 1975, Peter N. Moogk réexamine la question et conclut qu'une telle école n'a jamais existé ou du moins qu'il n'en subsiste aucune preuve suffisante. Il souligne qu'une école d'arts et métiers serait un phénomène tout à fait inusité pour l'époque, puisque la transmission du savoir artisanal[67] en France ne se faisait pas dans des écoles mais auprès des artisans eux-mêmes, dans un système de tutorat individuel : maître-apprenti.

Effectivement, des contrats de maître-apprenti ont été trouvés en Nouvelle-France. Utilisant une approche aussi bien historique que sociologique, Moogk démontre comment le mythe d'une école a pu s'échafauder au gré de diverses interprétations erronées, basées sur des réalités du XIXe siècle. Tour à tour étiqueté de ferme modèle, école d'agriculture, école normale et école technique, cet établissement s'est vu attribuer des fonctions correspondant à des idées sociales inexistantes au XVIIe siècle.

Procédant aussi à l'examen scrupuleux des données historiques sur les prétendus étudiants, leurs professeurs, les visiteurs de passage et les chargés de pouvoirs religieux ou civils, Moogk a démontré la faiblesse de l'argumentation sur l'existence de cette école. Révisant cette affirmation, François-Marc Gagnon a confirmé la position de Moogk[68]. Depuis 1975, on ne parle donc plus de l'école des arts et métiers de Saint-Joachim. Le déboulonnage des mythes, de Dollard des Ormeaux à Madeleine de Verchères, est une réalité à laquelle il faut s'habituer[69]. Adieu héros et vive l'artisan virtuose et génial comme Jacques Leblond de Latour ! Qu'il ait pratiqué son art à Saint-Joachim ou à Québec, il demeure un artiste exceptionnel qui a grandement contribué à la formation des premiers artisans.

56
André Paquet dit Lavallée
(1799-1860)
Le Baptême du Christ, 1841
Porte des fonts baptismaux
Bois doré, 68,5 cm
L'Ange-Gardien

Les fonts baptismaux

Le Rituel du diocèse de Québec, publié en 1703 par Mgr de Saint-Vallier (1653-1727), précise qu'« il doit y avoir dans chaque église paroissiale, [...] des fonts baptismaux. Ils doivent être placés au bas de l'église du côté de l'Évangile dans un endroit environné d'un balustre fermant à clef, autant qu'il sera possible et couvert d'un petit dôme de menuiserie[70] ».

Fidèle à cette tradition, la paroisse de L'Ange-Gardien possède un meuble d'exécution soignée, renfermant des fonts baptismaux. Il s'agit d'une espèce d'armoire à deux corps dont la partie inférieure cache un petit bassin destiné à recueillir les eaux du baptême, tandis que la partie supérieure sert d'armoire aux saintes huiles[71]. Ce meuble emprunte plusieurs éléments au vocabulaire ornemental ancien. À la base du meuble, en façade, un panneau en relief représente le serpent enroulé autour de l'arbre du fruit défendu. De chaque côté, deux panneaux concaves sont ornés de motifs de palmes sculptés. Un bas relief du sculpteur André Paquet (1799-1861) orne la porte principale du meuble et illustre le baptême du Christ par saint Jean-Baptiste dans le Jourdain et la descente du saint Esprit apparaissant sous la forme d'une colombe. Flanqué de deux grandes volutes et décoré de motifs floraux, le corps supérieur est coiffé d'une corniche en encorbellement et d'un petit dais.

57
André Paquet dit Lavallée
(1799-1860)
*Fonts baptismaux
de l'ancienne église
de L'Ange-Gardien*, 1835
Bois
Photo
ANQ-Q, FGM

Le décor intérieur de l'église de Château-Richer

L'église de 1658

On ignore tout du décor intérieur de la première église en pierre de Château-Richer. Cependant, le Musée national des beaux-arts du Québec détient deux bases de colonne garnies de guirlandes de roses et acquises d'un antiquaire affirmant qu'elles proviennent de Château-Richer. D'après le détail de leur ornementation, celles-ci datent en effet de la fin du XVIIe siècle. La ressemblance entre les guirlandes de roses de ces deux bases et celles des colonnes de L'Ange-Gardien et de Sainte-Anne-de-Beaupré suggère qu'elles puissent être l'œuvre du même sculpteur, soit Jacques Leblond de Latour, ou de ses élèves. De plus, cette hypothèse trouve un écho dans une note écrite en 1786 par l'abbé Thomas-Louis Bédard, ancien supérieur du Séminaire de Québec. Ce dernier mentionne qu'un certain M. Leblond a pris la soutane en 1696 et qu'il s'agit probablement du fameux prêtre-sculpteur, curé de Baie-Saint-Paul, dont les ouvrages sont connus. « Il fut un excellent sculpteur qui forma des élèves qui partagèrent avec lui l'honneur du sacerdoce ainsi que l'art de manier le ciseau. Les retables de Sainte-Anne, du Château-Richer, de L'Ange-Gardien déposent en leur faveur. »

On soupçonne qu'un grand tableau du frère Luc aurait orné le retable de l'église de Château-Richer, comme en fait foi le père Chrestien Le Clercq en 1691 qui affirme : « Les églises de L'Ange-Gardien, de Château-Richer à la Coste de Beaupré, celle de la Sainte-Famille dans l'Isle d'Orléans et de l'Hôpital de Québec ont été pareillement gratifiez de ses ouvrages[72]. »

58
Attribués à Jacques Leblond
de Latour (1671-1715)
(hypothèse)
*Piédestaux de colonne
de l'ancienne église
de Château-Richer*
Bois doré, 89,8 x 42 cm
Québec, MNBAQ
(67.237) (67.238)

59
François-Xavier Berlinguet
(1830-1916)
*Plan du baldaquin pour
Château-Richer*, 1865
ANQ-Q,
Fonds Raoul Chênevert

60
Inconnu
*Branche de baldaquin
de l'ancienne église
de Château-Richer*,
XIXe siècle
Bois décapé,
167,6 x 42 x 7 cm
Québec, MNBAQ
(55.222.01)

L'église de 1865

Pour la nouvelle église de Château-Richer construite en 1865, François-Xavier Berlinguet soumet
une proposition d'un baldaquin pour le maître-autel.
On suppose que l'ouvrage a été réalisé puisque deux
branches de baldaquin sont conservées au Musée national des beaux-arts du Québec[73]. Toutefois, ce baldaquin
n'apparaît plus sur une photographie prise vers 1930 par
Jules Livernois (1877-1952).

61
Jules Livernois
(1877 1952)
*Maître-autel de
Zéphirin Perrault pour
Château-Richer*, 1865
Photo, vers 1930
ANQ-Q

Le décor intérieur de l'église de Saint-Joachim

L'église de 1685

Il n'existe aucune information sur le décor intérieur de la première église de Saint-Joachim, construite en 1685 et brûlée par les Anglais en 1759. Cependant, une statue de *Saint Joseph,* conservée au Musée national des beaux-arts du Québec, proviendrait de cette première église, selon l'attestation de l'antiquaire qui l'avait acquise. La confirmation étant incertaine, les listes du musée ne mentionnent plus Saint-Joachim comme lieu de provenance. Par contre, le tableau de *Saint Louis de Gonzague* a de meilleures chances d'avoir été suspendu aux murs de l'église. Une légende a rapporté que le tableau aurait versé des larmes en 1759[74] à l'approche des Anglais. Plus sérieusement, on sait qu'à partir de 1779 ce tableau a orné le maître-autel de la chapelle du Petit Cap, résidence d'été des prêtres du Séminaire de Québec, dédiée à saint Louis de Gonzague, patron de la jeunesse. Ce tableau mériterait un examen sérieux pour déterminer s'il est antérieur à 1759.

62
Inconnu, XVIIIe siècle
Saint Louis de Gonzague
Huile sur toile, 126,5 x 99 cm
Chapelle du Petit Cap,
Séminaire de Québec,
Québec, MC (1991.138)

Quant aux deux petits tableaux du frère Luc (1614-1685), soit *le Jésus adolescent* et *la Vierge de douleur*, accrochés dans la sacristie de l'actuelle église de Saint-Joachim, il est plausible qu'ils aient fait partie de la décoration de la première église. Comme tous les livres de comptes datant du Régime français ont disparu, cette hypothèse est difficile à vérifier, tout comme les circonstances de leur acquisition.

63
Inconnu, XVIIIe siècle
Saint Joseph
Bois doré, 106,5 x 56,2 x 23,4 cm
Saint-Joachim,
Québec, MNBAQ (51.64)

L'église de 1779

64
François Baillairgé
(1759-1830)
et Thomas Baillairgé
(1791-1859)
*Décor intérieur de l'église
de Saint-Joachim,* exécuté
entre 1816 et 1825
Saint-Joachim

Une deuxième église est reconstruite à Saint-Joachim en 1779. Mais il faudra attendre plus de 30 ans (1816) avant que ne soit réalisé son décor intérieur. Luc Noppen en a fait une étude attentive[75].

Il s'agit d'une œuvre imposante, rendue possible grâce à un legs généreux du curé Corbin qui a désigné l'abbé Jérôme Demers pour en assurer l'exécution. Alors professeur d'architecture au Séminaire de Québec, l'abbé Demers termine son *Précis d'architecture,* dans lequel il disserte longuement sur l'importance de l'unité architecturale dans le décor intérieur des édifices, lorsqu'il confie le projet de décoration à son ami François Baillairgé. La pensée de Demers est influencée par Jacques-François Blondel[76] (1705-1774) qui, en France, a le mérite d'avoir ordonné le décor intérieur selon les règles de l'architecture classique. Réagissant aux abus des ornemanistes, les architectes ont voulu subordonner la décoration à un plan supérieur englobant tout : structure architecturale, organisation de l'espace et ornementation. Tout en sauvegardant la richesse et la diversité de l'orne-mentation, on va se soucier davantage de l'harmonie entre la décoration et l'édifice lui-même. Du plancher jusqu'à la voûte et de l'arrière de l'église jusqu'au chœur, l'espace est considéré comme un ensemble structuré.

Contrairement à ce qui s'est fait au Québec de 1700 à 1784, où l'on favorisait le type de retable dressé sur un fond plat, c'est plutôt l'ensemble de l'abside décorée qui va faire office de retable avec François Baillairgé. L'abside comprend une alternance d'arcades et de pilastres. Les arcades sont inscrites dans des panneaux ornés de fenêtres ou de bas-reliefs en médaillon[77]. Les pilastres reposent sur un socle et se terminent par un chapiteau corinthien supportant un entablement qui fait le tour de l'église et délimite la voûte. Dans le prolongement de chaque pilastre partent des arcs qui traversent la voûte pour rejoindre le pilastre d'en face. Ces arcs sont constitués d'une enfilade de petits caissons. Tous ces éléments, purement décoratifs, donnent l'impression d'être des éléments portants de la structure de l'église. L'équilibre et l'harmonie qui s'en dégagent résultent d'un calcul de proportions. De l'ouverture de l'arcade à l'espacement des pilastres et de la hauteur des colonnes à leur diamètre, rien n'est laissé au hasard. Le calcul se fait sur une base modulaire[78] de sorte que la même échelle s'applique partout, jusqu'aux bas-reliefs sculptés qui sont aussi subordonnés aux lois des proportions.

68
François Baillairgé
(1759-1830)
et Thomas Baillairgé
(1791-1859)
Retable de Saint-Joachim
Saint-Joachim

69
François Baillairgé
(1759-1830)
et Thomas Baillairgé
(1791-1859)
*Guirlandes de roses
et brûle-parfum*
Bois doré
Saint-Joachim

Le retable comprend un îlot central très élaboré et dégagé du mur. Les statues des quatre évangélistes sont disposées en demi-cercle de part et d'autre du maître-autel et séparées par quatre colonnes triomphales. L'emblème de chaque évangéliste figure sur le socle de la statue correspondante. Les colonnes cannelées et baguées reposent sur des socles superposés. Elles se terminent par un chapiteau corinthien, au niveau supérieur de l'entablement. François Baillairgé évite de faire un baldaquin et propose de relier les quatre colonnes par des guirlandes de fleurs. Celles-ci rejoignent une gloire placée juste au-dessus de l'encadrement du tableau de *Saint Joachim*. Cette solution dégage le tabernacle et utilise la voûte du chœur comme couronnement de tout l'espace.

70
Thomas Baillairgé
(1791-1859)
Les trois Marie au tombeau
Bois doré,
72,4 x 99,1 cm
Saint-Joachim

71
François Baillairgé
(1759-1830)
L'évangéliste saint Marc
Bois doré, 155 cm
Saint-Joachim

On dit que Saint-Joachim est l'œuvre la plus achevée de François Baillairgé qui en était le concepteur et l'architecte. Ce dernier laissera l'exécution des travaux à son fils Thomas qui utilisera des formes décoratives issues du vocabulaire Louis XVI : trophées, brûle-parfums, urnes et vases. Dépassant le simple niveau d'ornemaniste, le fils génial réalisera, notamment, le bas-relief du tombeau de l'autel qui représente les trois Marie au tombeau. Il est parfois difficile de départager les œuvres sculptées par le père et par le fils, mais on croit que le père est l'auteur de la sculpture des bas-reliefs, des médaillons, des deux grands volets latéraux et des quatre statues des évangélistes[79]. Ces derniers sont en position assise, regardant droit devant eux. Leur regard est empreint de gravité et de sérénité. L'exécution du drapé est particulièrement réussie.

72
François Baillairgé
(1759-1830)
Les emblèmes des quatre évangélistes
Bois doré, 68 cm x 32 cm
Saint-Joachim

63

73
François Baillairgé (1759-1830)
La Nativité, 1816-1820
Bois doré, 100 cm (diamètre)
Saint-Joachim

74
François Baillairgé (1759-1830)
La Présentation au temple,
1816-1820
Bois doré, 100 cm (diamètre)
Saint-Joachim

75
François Baillairgé (1759-1830)
Jésus au milieu des docteurs,
1816-1820
Bois doré, 100 cm (diamètre)
Saint-Joachim

76
François Baillairgé (1759-1830)
L'Adoration des mages,
1816-1820
Bois doré, 100 cm (diamètre)
Saint-Joachim

Quatre médaillons dépeignent le cycle de l'enfance de Jésus. Leur composition allie clarté et précision, qualités du néoclassicisme français. La disposition et la forme des médaillons ont été inspirées à l'abbé Demers par les boiseries des stalles de la cathédrale d'Orléans (1699), conçues par Jules Hardouin-Mansart (1646-1708) et exécutées par le sculpteur Jules Dugoulon[80].

Pour l'ensemble de l'iconographie, qui présente une grande unité et une logique rigoureuse, l'abbé Demers a conçu un programme qui met en lumière les fondements de la foi chrétienne et l'importance de la religion et de ses pratiques[81]. Ces deux grands thèmes sont illustrés par deux figures allégoriques sculptées sur les volets latéraux. « La foi – une femme tenant une croix marquée du triangle trinitaire – et la religion – une femme soulevant un calice surmonté d'une hostie. La croix rappelle ici le sacrifice de la Passion et le mystère de la Rédemption qui, au sein du culte religieux, s'actualise dans le sacrifice du pain et du vin […][82]. » Le programme iconographique comprend aussi des représentations de vases sacrés, placés derrière l'autel et évoquant la liturgie et le cérémonial de la religion catholique.

77
François Baillairgé
(1759-1830)
L'Adoration des mages,
La Foi, 1816-1820
Bois doré,
Saint-Joachim

66

Les répercussions de la Contre-Réforme en Nouvelle-France

La Contre-Réforme instaure un mouvement de remise en question et de changements profonds de l'Église catholique au milieu du XVIᵉ siècle, en réaction à la montée du protestantisme. Le mouvement culmine au concile de Trente, cette assemblée des évêques qui se réunira pendant une vingtaine d'années pour redéfinir le dogme et fixer les règles de conduite du clergé. Les répercussions de la Contre-Réforme se feront sentir jusqu'en Nouvelle-France.

Le concile de Trente donne la riposte aux protestants. Le message divin se trouve dans la *Bible* bien sûr, mais seule l'Église catholique est habilitée à interpréter les Saintes Écritures et à déterminer ce qui est vrai en toute chose.

Alors que les protestants affirment que le salut s'obtient par la foi seule, l'Église catholique rétorque qu'en plus de la foi les bonnes œuvres et les sacrements permettent au fidèle de contribuer à son salut.

La décision la plus marquante du concile de Trente consiste à préciser l'autorité et les responsabilités des évêques. On exige notamment que chaque évêque fonde, dans son diocèse, un séminaire théologique pour la formation des prêtres, pour endiguer l'ignorance et redresser la moralité du bas clergé. Décision perspicace qui permettra de propager les réformes et de les faire assimiler à un clergé discipliné et éclairé.

Tout empreint de l'esprit de la Contre-Réforme par une éducation reçue chez les Jésuites, Mᵍʳ de Laval fonde un séminaire à Québec dès son arrivée en Nouvelle-France. Il en dicte la règle qui fixe les comportements pratiques et moraux des séminaristes. Quelques années plus tard, Mᵍʳ de Saint-Vallier distribue un rituel, sorte de manuel pratique destiné aux paroisses, qui donne des instructions sur la construction des églises, la décoration du sanctuaire, la fabrication des tabernacles, l'usage de l'orfèvrerie et tout le cérémonial. Ce manuel contient des indications très précises qui auront une influence considérable sur le travail de générations d'artisans dans les églises de la Côte-de-Beaupré.

78
Thomas Baillairgé
(1791-1859)
Trophées liturgiques
Bois doré, 206 x 97 cm
Saint-Joachim

Les tabernacles

1 couronnement
2 colonnade
3 gradins

79
Avec son dôme, sa colonnade et ses gradins, le tabernacle reconstitue souvent une façade d'église.

80
François Mansart
(1598-1666)
L'église du Val-de-Grâce
Paris

Au XVIIᵉ siècle, pour contrer le protestantisme croissant, l'Église réaffirme l'importance de l'Eucharistie. Elle donne des directives sur la construction du tabernacle, défini comme l'ensemble du meuble à étages qui surmonte la table d'autel. Destiné aussi à contenir les saintes espèces, le tabernacle est fait en bois et la majeure partie doit être dorée. Comme Mᵍʳ de Saint-Vallier[83] ordonne qu'un tabernacle soit érigé dans chaque église paroissiale, ce type de construction connaît un nouveau développement. René Villeneuve affirme que seulement une trentaine des 225 tabernacles anciens construits au Québec dans autant d'églises ont survécu jusqu'à aujourd'hui[84]. Gérard Lavallée a essayé d'établir un parallèle entre le tabernacle des églises des provinces françaises de l'époque et ceux d'ici : « L'autel majeur, dans nos anciennes églises, a une grande importance : il semble plus autonome et plus élaboré que ceux des églises françaises parce qu'il est doté d'un tabernacle, véritable retable en miniature[85]. »

Comme les styles des tabernacles varient selon les époques, l'inspiration des sculpteurs et la nature des commandes reçues, il est difficile de classer chacun d'eux dans une catégorie précise. Cependant, pour les tabernacles de la Côte-de-Beaupré, quelques regroupements sont possibles autour des noms de Leblond de Latour, Levasseur et Baillairgé.

70

René Villeneuve attire d'abord l'attention sur « un petit tabernacle bien vieux », importé de France et prêté pour quelque temps à l'église de Château-Richer par l'église de Notre-Dame-de-la-Recouvrance de Québec[86]. Comme l'indique un inventaire de 1675[87], l'église de Notre-Dame-de-la-Recouvrance était disposée à s'en départir, ayant reçu de France un nouveau tabernacle. On ignore toutefois ce qu'il est advenu du tabernacle prêté à Château-Richer.

Parmi les plus anciens tabernacles fabriqués au pays, il en subsiste deux sur la Côte-de-Beaupré qui datent de la fin du XVIIe siècle : celui de L'Ange-Gardien et celui de Sainte-Anne-de-Beaupré. Ces derniers sont d'inspiration baroque avec un agencement général à trois sections verticales et à trois parties horizontales. Leur caractéristique principale est un dais d'exposition à dôme godronné. Le godron est un motif creux ou en saillie, de forme ovale.

Les tabernacles anciens de la Côte-de-Beaupré

Paroisse	Le tabernacle du maître-autel		Les tabernacles des autels latéraux	
	Attribution	Emplacement actuel	Attribution	Emplacement actuel
L'Ange-Gardien Église 1675	Jacques Leblond de Latour 1695-1705	MNBAQ	François Baillairgé 1786	Église de L'Ange-Gardien
Château-Richer Église 1658	Inconnu 1er quart du XVIIIe siècle	Saint-Damase-de-L'Islet (hypothèse)	Entourage des Levasseur * 1re moitié du XVIIIe siècle	→ MNBAQ → Chapelle du Petit Cap
	François-Noël et J.-B.-Antoine Levasseur 1762	MBAC	Florent Baillairgé 1804	Chapelle Bon-Pasteur
Sainte-Anne-de-Beaupré Église 1676	Jacques Leblond de Latour 1703	Musée de sainte Anne	Charles Vézina, 1700 pour l'un des tabernacles, Copie, XIXe siècle pour l'autre tabernacle.	Musée de sainte Anne
Saint-Joachim Église 1779	François Baillairgé 1782	Église de Saint-Joachim	Thomas Baillairgé * 1823	Église de Saint-Joachim

* Anciennement attribué à Pierre Émond.

71

Le tabernacle du maître-autel de L'Ange-Gardien

Le tabernacle de l'église de L'Ange-Gardien est attribué à Jacques Leblond de Latour. Conçu comme une façade d'architecture française, le meuble est composé de trois travées verticales qui se subdivisent en trois étages distincts. Au premier étage, la partie centrale fait saillie et les gradins, disposés de part et d'autre, sont ornés d'un entrelacs de blé et de vigne, au premier niveau, et de feuilles d'acanthe au second niveau. L'étage de la colonnade comporte neuf niches destinées à recevoir des statues[88], aujourd'hui disparues. Des colonnettes supportent « un entablement très articulé et mouvementé qui suit avec élégance les avancées et replis de la façade[89] ». À l'étage du couronnement, une madone, attribuée à l'entourage de Leblond de Latour, occupe la niche centrale coiffée d'un dôme godronné. Sur une robe qui semble de velours ciselé, cette madone porte un manteau à motif d'étoiles. L'enfant, blotti contre sa mère, passe un bras autour de son cou. La Vierge regarde au loin, pensive et grave. Cette œuvre présente l'image d'une beauté touchante, malgré une allure quelque peu figée. Un médaillon, semblable à ceux des reliquaires, orne le piédestal de la statue.

82
Entourage de
Jacques Leblond de Latour
Vierge à l'Enfant, vers 1700
Noyer cendré polychrome
et doré, 44 cm
L'Ange-Gardien

81
Jacques Leblond de Latour
(1671-1715)
Tabernacle de L'Ange-Gardien,
entre 1695-1705
Bois doré, 286 x 274 x 72 cm
Québec, MNBAQ (74.257)

73

Les tabernacles des autels latéraux de L'Ange-Gardien

En 1786, des autels latéraux sont commandés à François Baillairgé pour l'église de Saint-Laurent de l'île d'Orléans. Ils sont acquis par la fabrique de L'Ange-Gardien, après consultation auprès de l'assemblée des paroissiens en 1805[90].

Les deux tabernacles conservent l'ordonnance des pièces du début du XVIIIe siècle : une partie centrale en saillie, deux gradins et cinq travées encadrées de huit colonnettes soutenant un entablement. Dans la décoration, on distingue des fleurs indigènes, sabots de la vierge, entrelacs d'asters, anémones, pivoines et chrysanthèmes.

83
François Baillairgé
(1759-1830)
Autel latéral de droite de Saint-Laurent, Î.O.,
vers 1786, acquis par
L'Ange-Gardien en 1805
Bois peint et doré
L'Ange-Gardien

74

84
François Baillairgé
(1759-1830)
*Autel latéral de gauche
de Saint-Laurent, Î.O.*,
vers 1786, acquis par
L'Ange-Gardien en 1805
Bois peint et doré
L'Ange-Gardien

Le tabernacle
du maître-autel de
Sainte-Anne-de-Beaupré

Comme celui de L'Ange-Gardien, le tabernacle de Sainte-Anne-de-Beaupré a été attribué à Jacques Leblond de Latour. Il remonte à la fin du XVIIe siècle. Cependant, il a été considérablement remanié par Thomas Baillairgé en 1827 sur les instructions de changement données par le curé François-Ignace Ranvoyzé[91]. Dans une église de pèlerinage, les fidèles exigent de bien voir ce qui se passe à l'avant, malgré la distance. On doit donc augmenter les dimensions du tabernacle en conséquence. Pour ce faire, Thomas Baillairgé modifie les gradins[92] et hausse l'étage de la colonnade en ajoutant des piédestaux sous les colonnettes. Il ajoute aussi un tombeau d'autel à la romaine, qui a la forme d'une console Louis XV[93], sur lequel il sculpte *Le repas d'Emmaüs*, une scène inspirée de François Anguier (1604-1669)[94]. Le Christ et deux de ses disciples sont assis autour d'une table dressée. À leurs pieds et à demi caché dans le feuillage, un serpent saisit le fruit défendu.

Le tabernacle de Sainte-Anne-de-Beaupré s'inspire des grandes façades d'édifices français de François Mansart (1598-1666) et rappelle, par son dôme, l'église du Val-de-Grâce. Malgré les modifications, les qualités de l'architecture de base sont manifestes : trois édicules, un central plus important à fronton cintré et deux latéraux à fronton triangulaire s'avancent à l'avant et sont reliés entre eux par des panneaux surmontés d'une balustrade[95]. L'étage du couronnement est particulièrement somptueux et constitue la partie la plus ancienne du tabernacle. Le dôme central domine l'ensemble par la richesse de sa décoration et de son ornementation de chute de feuilles et de fruits de grenade. Une balustrade le divise à mi-hauteur et il est coiffé d'une lanterne circulaire. De chaque côté, deux lanternes carrées à étages ferment l'espace occupé par deux socles godronnés qui supportaient chacun un ange portant une oriflamme, d'après une photographie de Jules-Ernest Livernois (1851-1933) prise avant 1876. Cependant, d'après la position des mains, ces deux anges auraient pu, à l'origine, porter plutôt des couronnes[96]. Ces anges ont été rachetés à la paroisse de Batiscan en 1773. À l'étage des gradins, des compartiments en forme de losanges et d'hexagones sont fermés par du verre de couleur rouge. Quant au gradin du bas, il présente une ornementation rococo qui pourrait suggérer une restauration antérieure à celle de Thomas Baillairgé.

87
Attribué à Charles Vézina
(1685-1755)
Saint Joseph, vers 1730,
trouvé à Saint-Ferréol
Bois décapé, 136,2 cm
MNBAQ

88
Attribué à Charles Vézina
(1685-1755)
Vierge à l'Enfant, vers 1730,
trouvé à Saint-Ferréol
Bois décapé, 136,2 cm
MNBAQ

Les deux statues attribuées à Charles Vézina

En 1919, l'ethnologue Marius Barbeau découvre deux statues en bois polychrome installées dans le jardin du presbytère de Saint-Ferréol, petite paroisse située à environ 10 kilomètres au nord-est de Sainte-Anne-de-Beaupré[97]. Il s'agit d'un *Saint Joseph* et d'une *Vierge à l'Enfant*, certainement sculptés de la même main, à en juger par la position et les proportions communes des corps, le modelé des visages et le traitement du drapé qui tombe de la même manière, surtout à la base[98]. Pour sa part, Gérard Morisset décrit les deux statues en ces termes : « Autant le saint Joseph est compliqué, autant la Vierge est simple. Simple dans son maintien, dans l'attitude de la tête, dans le geste du bras droit, dans le magnifique drapé de la dalmatique. On ne peut souhaiter figure plus sereine, expression plus noble[99]. » La grande qualité d'exécution de ces deux sculptures tend à les associer aux œuvres produites au début du XVIIIe siècle. Marius Barbeau les attribuait à l'entourage de Jacques Leblond de Latour, bien que leurs caractéristiques les distinguent nettement des œuvres connues des sculpteurs de cette époque. Par défaut, elles sont attribuées à Charles Vézina qui a beaucoup travaillé à la décoration de l'église de Sainte-Anne-de-Beaupré[100]. Selon Barbeau, les deux statues auraient été sculptées pour la fabrique de Sainte-Anne-de-Beaupré, qui les aurait données à l'église de Saint-Ferréol, après 1790[101].

Les tabernacles
des autels latéraux de
Sainte-Anne-de-Beaupré

Les autels latéraux de Sainte-Anne-de-Beaupré sont attribués à Charles Vézina (1685-1755), un artisan de L'Ange-Gardien, élève de Leblond de Latour[102]. Les gradins sont ornés d'entrelacs de végétaux et les panneaux de la colonnade et de la niche centrale sont décorés de bouquets de fleurs sauvages. L'étage du couronnement est surmonté d'un dôme godronné. Deux splendides vases à fleurs sculptés en ronde-bosse sont placés au-dessus des sections latérales. Selon Claude Payer, les deux meubles ne sont pas contemporains, l'un datant du XVIIIe siècle et l'autre étant une copie identique du XIXe siècle.

89
Attribué à Charles Vézina
(1685-1755)
Autel latéral de l'église de Sainte-Anne-de-Beaupré,
1730
Bois peint en blanc,
ornementation
à la feuille d'or
Restauré par le Centre
de conservation du Québec
Sainte-Anne-de-Beaupré,
MSA

Les tabernacles
de Château-Richer

À Sainte-Anne-de-Beaupré, à L'Ange-Gardien et à Saint-Joachim, les tabernacles anciens sont demeurés sur place, à l'exception d'un tabernacle du maître-autel de L'Ange-Gardien acquis par le Musée national des beaux-arts du Québec en 1974. La situation est beaucoup moins claire à Château-Richer où seulement les deux tabernacles des autels latéraux de Pierre-Florent Baillairgé ont été localisés avec certitude. En ce qui concerne les autres tabernacles de Château-Richer, les renseignements sur leur existence sont plutôt rudimentaires.

Le tabernacle du maître-autel
de Château-Richer d'avant 1762

En 1762, au moment où la fabrique de Château-Richer commande un tabernacle aux Levasseur, qu'advient-il du tabernacle en place depuis la fondation de cette église ? Plusieurs auteurs ont tenté d'en percer le mystère. Pour sa part, Gérard Morisset soutient qu'il se trouve maintenant à Saint-Damase-de-L'Islet[103]. À son avis, il aurait été offert à cette paroisse en développement, en 1889, au moment de la construction de l'église. De nouveaux renseignements apportent un éclairage différent sur cette question.

D'une part, René Villeneuve a identifié plusieurs inscriptions à l'arrière de l'autel installé à Saint-Damase-de-L'Islet[104], dont Saint-Apollinaire, le nom du curé Thomas Aubert de Gaspé et la date 1867. Une autre inscription, plus récente, mentionne le nom de quatre artisans de Saint-Damase-de-L'Islet[105] et se termine ainsi : « ont posé cet autel, 4e février 1915 ». D'autre part, une photographie reproduite dans le livre publié lors du 125e anniversaire de la paroisse de Saint-Apollinaire confirme que l'autel qui se trouve aujourd'hui à Saint-Damase-de-L'Islet a effectivement pris place dans l'église de Saint-Apollinaire[106]. Cependant, cet autel n'a pas été fabriqué à l'origine pour Saint-Apollinaire. D'après les livres de comptes de la paroisse de Saint-Apollinaire, en 1867, une assemblée des marguilliers accepte la donation d'un vieil autel de la fabrique de Saint-Antoine-de-Tilly, qui vient d'inaugurer son nouveau maître-autel réalisé par Raphaël Giroux[107]. Si l'autel de Saint-Damase-de-L'Islet provient effectivement de Château-Richer, son parcours est plus complexe qu'il ne le semblait à Gérard Morisset et implique deux épisodes additionnels, soit une présence à Saint-Antoine-de-Tilly et un détour par Saint-Apollinaire.

90
Inconnu

Ange de l'ancien maître-autel de Château-Richer (hypothèse), premier quart du XVIIIe siècle
Bois doré
Saint-Damase-de-L'Islet

La consultation des livres de comptes de la paroisse de Saint-Antoine-de-Tilly, qui ne remontent pas au-delà de 1733, ne révèle aucune inscription concernant l'arrivée d'un tabernacle en provenance de Château-Richer. Cependant, en 1747[108], la fabrique de Saint-Antoine-de-Tilly paie 320 livres aux ouvriers maçons et menuisiers qui ont fait la masse en pierre d'un autel, l'autel et ses degrés et paie 1569 livres pour le retable situé derrière l'autel, soit 1150 livres à J.-B. Bussière en 1756-1758 et 419 livres au Sieur Levasseur en 1765-1766. Le tabernacle est doré à la feuille d'or vers 1770 pour 500 livres. La question demeure quant à l'origine de ce tabernacle. A-t-il été fabriqué pour Saint-Antoine-de-Tilly par Pierre Hardy (baptisé en 1737), qui a beaucoup travaillé à la décoration de l'église entre 1748 et 1754, ou pour Château-Richer qui s'en serait défait par la suite ?

Pour Claude Payer, le tabernacle de Saint-Damase-de-L'Islet est très ancien, car « bien que modifié à la fin du XIXe siècle pour le mettre au goût du jour, l'architecture même des parties originales ainsi que leur ornementation situent ce tabernacle dans la première moitié du XVIIIe siècle, peut-être même dans le premier quart de ce siècle[109] ». Durant le premier quart du XVIIIe siècle, Saint-Antoine-de-Tilly ne compte qu'une chapelle (1702)[110] et l'église n'est construite qu'en 1722. Par contre, Château-Richer possède une église en pierre depuis 1658 et il est tout à fait plausible que la fabrique décide de se départir de son ancien tabernacle en 1762,

91
Inconnu
Ancien maître-autel de Château-Richer (hypothèse),
premier quart du XVIIIe siècle
Bois peint en blanc, ornementation dorée
Saint-Damase-de-L'Islet

lorsqu'elle commande un nouvel autel aux Levasseur. Château-Richer aurait pu offrir cet ancien tabernacle à une autre paroisse, comme Saint-Antoine-de-Tilly, qui a fait exécuter des travaux de maçonnerie et dressé un retable pour accueillir et mettre en valeur un tabernacle. Cependant, on ne peut exclure la possibilité qu'en 1747 un artisan de Saint-Antoine-de-Tilly ait choisi de construire, sur le tard, un tabernacle dans « le beau style », celui du début du XVIIIe siècle.

Le tabernacle du maître-autel
de Château-Richer de 1762

En 1762, la fabrique de Château-Richer remet aux Levasseur la somme de 300 livres pour le paiement initial d'un tabernacle et, quatre ans plus tard, elle verse une somme de 757 livres pour la dorure de ce même tabernacle[111].

On ignore ce qu'il est advenu de ce tabernacle. Cependant, le Musée des beaux-arts du Canada détient un tabernacle, acheté d'un antiquaire de Neuville en 1964, qui pourrait provenir de Château-Richer selon la fiche d'entrée de l'archiviste des collections. Ce meuble, comprenant l'étage des gradins et celui de la colonnade, possède une ornementation de style rococo en crête de coq, ce qui permet de l'attribuer aux derniers fils Levasseur, François-Noël et Jean-Baptiste-Antoine. Ces deux frères ont créé un type de tabernacle orné de motif rocaille dont le prototype apparaît à l'église de Sainte-Famille de l'île d'Orléans en 1749. La présence d'une telle ornementation permet donc de situer ce tabernacle à l'intérieur de la période 1750-1772. D'après John R. Porter[112], ce tabernacle montre une dorure caractéristique des années qui ont immédiatement suivi la Conquête. D'après le style de l'œuvre et la période de fabrication, il est plausible que ce tabernacle soit celui de Château-Richer.

92
François-Noël Levasseur
(1703-1794)
Jean-Baptiste-Antoine Levasseur
(1717-1775)

Tabernacle incomplet
du maître-autel de
Château-Richer, 1762
Bois, 248 x 83 x 43 cm
Ottawa, MBAC (14669)

Les tabernacles des autels latéraux de Château-Richer d'avant 1804

Une inscription aux livres de comptes de Château-Richer[113] relate : « en 1774, on paya 392 livres pour la peinture du sanctuaire, des chapelles, des deux tableaux, des deux tabernacles […] ». Ces travaux de peinture s'inscrivent probablement dans les rénovations qui s'imposent à la suite des travaux d'allongement de l'église en 1772. Cette mention « la peinture des deux tabernacles »

concerne certainement deux autels secondaires qui pourraient dater, à tout le moins, du milieu du XVIIIe siècle. Cette hypothèse mérite d'autant plus d'attention que le Musée national des beaux-arts du Québec détient un tabernacle incomplet, comprenant l'étage de la colonnade et son couronnement, qui proviendrait de Château-Richer. Bien qu'il soit traditionnellement attribué à Pierre Émond (1738-1808), ce tabernacle correspond davantage au style de ce que les Levasseur ont réalisé plus tôt au XVIIIe siècle. L'étude attentive des volumes, des proportions et des détails de l'ornementation mène à cette conclusion, surtout si on le compare avec cinq tabernacles à dôme que ces mêmes artisans ont fabriqués pour les paroisses de Grondines, Saint-Vallier, Saint-Sulpice et Batiscan. Claude Payer, restaurateur au Centre de conservation du Québec, a remarqué la ressemblance étonnante entre ce tabernacle et celui de la chapelle du Petit Cap, anciennement à Stoneham. À son avis, il s'agirait de jumeaux identiques. Ces tabernacles auraient bien pu servir d'autels latéraux à l'église de Château-Richer au XVIIIe siècle. Les motifs de feuilles d'acanthe, les ailerons, les panneaux à bordure moulurée et les médaillons aveugles sont des formes d'ornementation caractéristiques de la première moitié du XVIIIe siècle.

Les tabernacles des autels latéraux de Château-Richer de 1804

En 1804, on apprend que la fabrique de la paroisse verse de l'argent à Pierre-Florent Baillairgé[114] pour la construction de deux autels latéraux qui ont été cédés aux Sœurs du Bon-Pasteur en 1879[115] et qui se trouvent toujours dans la chapelle située rue De La Chevrotière à Québec. Ces tabernacles recouverts de feuilles d'or, avec leurs motifs de végétaux et de fruits, remontent au tournant du XIXᵉ siècle. Des courges, des prunes, des pommes, des fleurs de tournesol et des quenouilles ornent les gradins. Sur les panneaux, à l'étage de la colonnade, on observe des bouquets de campanules, d'anémones et d'églantines. Au centre, une niche en forme de coquille est coiffée d'un dôme. Les sections latérales sont surmontées d'un pot à feu.

Deux petites statues reliquaires en bois doré ornaient autrefois les deux autels. Elles sont actuellement conservées au musée des Sœurs du Bon-Pasteur. Elles représentent deux saints jésuites longtemps identifiés comme étant saint Ignace de Loyola en costume de son ordre et saint François Xavier revêtu d'un surplis et portant la croix. Ginette Laroche prétend qu'il s'agit plutôt de saint François Borgia, à cause du pied qui écrase une couronne, symbole d'un homme qui renonce aux privilèges de son rang pour le service de Dieu[116]. L'autre reliquaire personnifierait alors saint François Régis qui lui est souvent jumelé. Cette hypothèse est aléatoire car François Borgia, homme de pouvoir et troisième général des Jésuites, est rarement représenté comme un prêtre en extase, au cœur brûlant d'amour. Ce type de figure correspond davantage à saint François Xavier à la fin de sa vie. Quant au pied qui écrase la couronne, il s'agit d'un symbole qui lui convient, en tant que noble.

95
Inconnu
Reliquaire de saint François Xavier
Bois, métal, or, peinture,
55 x 23 x 15,5 cm
Québec, Musée du Bon-Pasteur,
provenant de Château-Richer

96
Pierre-Florent Baillairgé
(1761-1812)
*Autel latéral de gauche
de Château-Richer*, 1804
Bois doré
Québec, Chapelle historique
du Bon-Pasteur

En ce qui concerne l'autre reliquaire, pour une question d'âge, il ne peut s'agir de saint François Régis[117]. La représentation d'un jeune saint jésuite imberbe et en surplis correspond davantage à saint Louis de Gonzague, d'après l'attribut qui l'accompagne, soit un crucifix. Ces exquises statuettes en bois doré se rapprochent des statues de saints jésuites de l'église de Notre-Dame-de-Lorette à Wendake, montrant saint Ignace de Loyola, saint François Xavier, saint François Borgia, saint Louis de Gonzague et saint Stanislas de Kostka. Ces statuettes datent du deuxième tiers du XVIIIe siècle et sont de fabrication européenne, peut-être plus spécifiquement romaine. Elles ont pu être distribuées aux paroisses par les jésuites pour la propagation du culte de leurs saints, au fil des ans durant leur ministère ou au moment de la dispersion de leurs biens lorsqu'ils ont été interdits de séjour par les conquérants. C'est précisément le cas de deux reliquaires similaires, représentant saint Louis de Gonzague et saint Stanislas de Kostka, qui ont été confiés aux Ursulines de Québec[118].

97
Inconnu
Reliquaire de saint Louis de Gonzague
Bois, métal, or, peinture,
57 x 23 x 16 cm
Québec, Musée du Bon-Pasteur,
provenant de Château-Richer

98
Pierre-Florent Baillairgé
(1761-1812)
*Autel latéral de droite
de Château-Richer*, 1804
Bois doré
Québec, Chapelle historique
du Bon-Pasteur

Le tabernacle du maître-autel de Saint-Joachim

Le tabernacle de Saint-Joachim permet de regarder de plus près l'œuvre de François Baillairgé. Il est coutume de subdiviser les tabernacles de François Baillairgé selon deux périodes : d'abord ceux qui ont été réalisés entre 1781 – date de son retour d'études à Paris – et 1797, puis ceux de 1797 jusqu'à l'année de son décès en 1830. En 1797, le sculpteur conçoit le tabernacle de la cathédrale Notre-Dame de Québec, qui servira de prototype à plusieurs répliques dans la région de Québec.

Le tabernacle de Saint-Joachim (1784) représente le meilleur exemple de la première période. François Baillairgé introduit des innovations dans le vocabulaire ornemental plutôt que des transformations de forme, comme il le fera après 1797 (réapparition du dôme à imbrication et innovations de structure : élargissement horizontal à sept travées, édicule couronné d'un attique à balustrade et fronton à l'image des temples grecs, qui donnent une allure néoclassique à ses ouvrages).

Le tabernacle de Saint-Joachim conserve l'organisation et les proportions des tabernacles hérités du XVIIIe siècle, conçus par Noël Levasseur (1680-1740) et ses fils. La partie des gradins comporte deux niveaux. L'étage de la « monstrance » est composé de cinq travées verticales ou panneaux encadrés de huit colonnettes disposées dans l'ordre habituel 11-22-11. Ces colonnettes soutiennent un entablement. La travée centrale est avancée et mise en valeur par la forte articulation des parties latérales. Le couronnement est remplacé par une structure pyramidale qui s'appuie sur la travée centrale et sert de socle pour une croix[119]. Deux reliquaires et quatre miroirs enchâssés sont posés au-dessus des travées latérales. Ces reliquaires sont des ajouts ultérieurs et les quatre miroirs étaient au départ dans l'alignement des travées, ce qui donnait au meuble un équilibre et une rigueur aujourd'hui disparus[120].

Dans le tabernacle de Saint-Joachim, l'ornementation diffère des motifs anciens. La feuille d'acanthe disparaît. Coquilles, guirlandes de roses et volutes font place à une végétation indigène reconnaissable[121]. Les gradins s'ornent de liserons et des bouquets de fleurs de noyer occupent les travées de l'étage de la colonnade. L'utilisation de plantes indigènes n'enlève rien à la finesse de la sculpture, à la justesse et à l'équilibre de l'ornementation.

100
Inconnu
Vierge à l'Enfant tenant un cœur ardent,
XVIIIe siècle
Bois doré, 41,5 cm
Saint-Joachim

99
François Baillairgé
(1759-1830)
Tabernacle du maître-autel de Saint-Joachim, 1784
Bois peint et doré
Saint-Joachim

101
François Baillairgé (1759-1830)
Travée du maître-autel, 1784
Bois peint et doré
Saint-Joachim

102
François Baillairgé (1759-1830)
Travée d'un autel latéral, 1786
Bois peint et doré
L'Ange-Gardien

Le tabernacle du maître-autel de Saint-Joachim se compare aux deux tabernacles des autels latéraux de L'Ange-Gardien exécutés en 1786 par François Baillairgé. Les panneaux qui forment les travées se présentent de la même façon dans les trois tabernacles. Entre deux colonnettes, une arche cintrée contient un gros bouquet de fleurs ou de fruits qui remplit l'espace. Le bouquet est déposé dans un vase, une urne ou un panier d'osier. Ces travées reposent sur un étage dit de sous-bassement, orné de paniers garnis de fruits, de fleurs ou de petits pains, pour les tabernacles des autels latéraux de L'Ange-Gardien, et d'entrelacs de feuillage pour celui de Saint-Joachim. Comme les fabriques de paroisse n'accordent pas les mêmes budgets pour les autels latéraux que pour le maître-autel, l'exécution en est un peu moins soignée. Ainsi, les motifs d'ornementation sont plus grossiers et les proportions, parfois inégales[122].

103
François Baillairgé
(1759-1830)
Détail de bouquet du maître-autel, 1784
Bois doré
Saint-Joachim

104
François Baillairgé
(1759-1830)
Détail de bouquet d'un autel latéral, 1786
Bois peint et doré
L'Ange-Gardien

105
Thomas Baillairgé
(1791-1859),
anciennement attribué
à Pierre Émond
*Autel latéral de
la Vierge*
Bois peint et doré

Antoine Plamondon
(1804-1895)
La Madone de saint Sixte
Huile sur toile,
240 x 140 cm
Saint-Joachim

Les tabernacles
des autels latéraux
de Saint-Joachim

À la différence des autres tabernacles des autels latéraux, ceux de Saint-Joachim ne correspondent pas au modèle habituel. En fait, il leur manque les deux étages supérieurs, celui de la colonnade et celui du couronnement. En lieu et place, un simple panneau mouluré présente des appliques sculptées qui s'apparentent à celles des murs adjacents. Quant à la table d'autel, son seul relief provient des deux niveaux de gradins installés de part et d'autre de la réserve eucharistique.

La fabrication des deux tabernacles est attribuée à Pierre Émond (1738-1808), sur la foi d'une brève inscription peu explicite aux livres de comptes de la fabrique de Saint-Joachim, qui se lit ainsi : « 1782, paié

106
Thomas Baillairgé
(1791-1859)
*Détail de bouquet
de l'autel latéral*
Bois doré
Saint-Joachim

à Émond et au forgeron pr l'autel et Bal [...] 1165 livres[123]. » Si cette mention est juste, il faudrait admettre que les deux tabernacles en question ont été commandés et payés au moins deux ans avant la fabrication du tabernacle principal réalisé par François Baillairgé en 1784, et 34 ans avant le début de la décoration de l'église en 1816.

Une telle hypothèse est d'autant plus difficile à soutenir que les motifs de l'ornementation des deux tabernacles s'intègrent trop bien à tout le décor ambiant et suggèrent plutôt qu'ils ont fait partie du plan d'ensemble de la décoration conçu par les Baillairgé en 1816, soit huit ans après la mort de Pierre Émond. Pour s'en convaincre davantage, il suffit de comparer le motif de gerbe de blé présent sur le panneau mouluré de l'autel de la Vierge à ceux des boiseries qui occupent le bas du mur du sanctuaire.

107
Thomas Baillairgé
(1791-1859)
*Détail de bouquet des
boiseries du sanctuaire*
Bois doré
Saint-Joachim

108
Thomas Baillairgé
(1791-1859),
anciennement attribué
à Pierre Émond
*Autel latéral
de saint Joseph*
Bois peint et doré

Antoine Plamondon
(1804-1895)
Saint Jean-Baptiste
Huile sur toile,
210 x 140 cm
Saint-Joachim

De même, le décor présent aux deux extrémités du tombeau de l'autel reprend la décoration du retable adjacent, avec un motif mouluré, composé de deux rectangles allongés et séparés par un cercle en relief. De plus, la façade du tombeau des deux autels latéraux est décorée de rinceaux, un motif utilisé par les Quévillon pour l'église de Saint-François-Xavier de Verchères. Comme Thomas Baillairgé a déjà étudié à l'atelier de Louis-Amable Quévillon (1749-1823), il a pu avoir l'occasion de se familiariser avec ce type d'ornement.

Enfin, le bas-relief de l'autel de saint Joseph montre différentes pièces d'orfèvrerie qui s'apparentent aux récipients à parfum présents dans la scène *Les trois Marie au tombeau* sculptée par Thomas Baillairgé. La prédilection de Baillairgé

pour une telle ornementation vient probablement du fait que son père François fournissait à Laurent Amiot des dessins de modèles pour ses pièces d'orfèvrerie.

En conclusion, on peut assumer que l'annotation de 1782 ne fait pas référence au sculpteur Pierre Émond, car la fabrication des deux autels latéraux n'a pas pu précéder celle du maître-autel. Thomas Baillairgé serait donc l'auteur des deux tabernacles latéraux et les aurait inclus dans son projet de décoration confirmé en 1816. À cet égard, il remet un reçu à l'abbé Jérôme Demers, le 24 décembre 1823, « pour prix de deux petits retables que je dois faire et placer dans les deux chapelles de l'église de Saint-Joachim[124] ».

110
Thomas Baillairgé
(1791 1859)
Motif d'orfèvrerie
Bois doré
Saint-Joachim

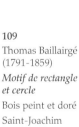

109
Thomas Baillairgé
(1791-1859)
Motif de rectangle et cercle
Bois peint et doré
Saint-Joachim

Les chandeliers et croix d'autel

Accessoires liturgiques faisant quasi partie de l'autel, les chandeliers et croix d'autel ainsi que le chandelier pascal sont souvent sculptés par les mêmes artisans qui ont fabriqué le tabernacle. Les plus anciens chandeliers ont été fabriqués vers 1700 et se trouvent à L'Ange-Gardien et à Sainte-Anne-de-Beaupré. Comme les tabernacles de ces deux paroisses sont attribués à Jacques Leblond de Latour et à ses élèves, on peut supposer que ces derniers ont aussi sculpté les chandeliers. Ceux-ci sont en bois, dorés à la feuille d'or et leurs bases robustes sont ajourées et s'ornent de courbes et de contre-courbes.

Près d'un siècle plus tard, François Baillairgé fabrique six chandeliers et une croix d'autel pour l'église de Saint-Joachim, de même que douze chandeliers prévus pour l'église de Saint-Laurent de l'île d'Orléans mais acquis par la fabrique de L'Ange-Gardien en 1805, en même temps que les autels latéraux. Ces chandeliers d'autel reproduisent les hautes torchères du XVIIe siècle, sorte de supports sur pied destinés à recevoir des flambeaux[125].

Les chandeliers de Baillairgé sont plus élancés que les précédents et la sculpture s'avère plus sobre. Ils sont en bois, peints en blanc de Meudon et la dorure est appliquée seulement sur les ornements. La base est de forme triangulaire et chacune des trois arêtes verticales se termine par une volute qui sert d'appui à une courte patte. L'espace qui sépare deux volutes est occupé par un motif floral. Au-dessus de la base tripode, un balustre tourné comprend un nœud à mi-hauteur pour faciliter la manipulation et est décoré de guirlandes, de feuilles d'acanthe et de couronnes de billes. Le sommet se termine par une tige effilée, placée au centre d'une assiette, pour fixer le cierge.

La croix d'autel est habituellement sculptée sur le même modèle que les chandeliers qui l'accompagnent, sauf que le balustre est remplacé par un crucifix.

115
Entourage de
Jacques Leblond de Latour
Crucifix d'autel, 1700
Bois doré, 94 cm
L'Ange-Gardien

116
Entourage de
Jacques Leblond de Latour
Chandelier, 1700
Bois doré, 83 cm
L'Ange-Gardien

114
Inconnu
Chandelier, 1700
Bois peint et doré, 91 cm
Sainte-Anne-de-Beaupré

97

Le baroque

Au sens propre, le mot « baroque » désigne une perle de forme irrégulière. Au sens figuré, il peut avoir la connotation péjorative d'étrange, de capricieux, d'extravagant et de contraire au bon goût et à la raison. À l'inverse, il peut signifier : imagination, somptuosité, audace et séduction. Le baroque est un style qui se distingue de l'idéal classique de recherche d'équilibre et d'harmonie. Il s'adresse davantage aux émotions et est propre à exprimer le tourment.

Chronologiquement, le baroque succède à la Renaissance et se termine 150 ans plus tard, soit vers 1750, avec la montée du néo-classicisme. Il a été adopté par tous les pays européens catholiques et leurs colonies d'outre-mer. Il coïncide avec le mouvement de la Contre-Réforme, issu du concile de Trente, qui a soutenu la vénération des images et encouragé l'expression artistique dans les églises. L'époque a de bonnes raisons de pavoiser. Les Turcs ont été vaincus à Lépante, le roi de France Henri IV abjure le protestantisme et l'Espagne vit la *Reconquista* de son territoire. Des œuvres monumentales traduisent la mentalité triomphante de l'Église, la magnificence étant nécessaire à son prestige. Les églises baroques suivent les canons esthétiques cités dans les traités d'architecture de Giacomo Barozzi dit Vignole (1507-1573). On trouve les moyens techniques d'incurver les façades, les coupoles s'enflent et la décoration intérieure des églises devient fastueuse[126].

Théâtral et exubérant, le baroque se caractérise par l'importance accordée au mouvement, à l'ornementation et à la couleur, et reprend les formes architecturales de la Renaissance et de l'Antiquité[127]. C'est par l'agencement de ces formes et dans la façon spectaculaire de traiter l'espace que le baroque se définit comme un style à la fois grandiloquent et familier, avec des formules excessives et peu rationnelles qui frappent l'imagination populaire.

À l'époque, la civilisation française est à son apogée et elle rayonne sur toute l'Europe. Elle a développé ses propres théories esthétiques et l'idéal classique français s'articule autour de la recherche d'équilibre, de vraisemblance et de primauté de la raison qui s'oppose à la fantaisie et aux extravagances baroques. À cause de ses attaches avec la mère patrie, la Nouvelle-France sera peu influencée par le courant baroque, contrairement à l'Amérique latine. On trouve ici le même classicisme issu d'un baroque tempéré.

L'esprit baroque

Le baroque concrétise les idées, attitudes et croyances d'une époque. Les découvertes scientifiques de Copernic et de Galilée ont bouleversé les esprits. La terre n'est plus au centre de l'univers et la vision du monde s'en trouve modifiée. La sécularisation de la connaissance entraîne l'affaiblissement de l'interprétation métaphysique de l'univers. Néanmoins, l'époque baroque demeure profondément religieuse.

Le virage baroque est marqué par l'adoption du style naturaliste, où les artistes reproduisent la nature le plus fidèlement possible. Le réalisme transforme l'art du portrait, des paysages, des scènes mythologiques et des natures mortes. Plus que d'autres, l'art sacré subit de profonds changements. Imbu de mysticisme, le baroque se préoccupe des passions de l'âme et s'intéresse aux expériences visionnaires des saints et à leurs extases.

Le baroque s'intéresse également au phénomène du martyre, non seulement pour sa valeur édifiante et le nouvel intérêt de l'époque pour le pathétique et la souffrance, mais pour sa dimension d'exaltation mystique et d'union avec Dieu.

117
Giovanni Battista Gaulli dit Baciccio (1639-1709)
Détail du *Triomphe du nom de Jésus*, 1674-1679
Rome, Église du Gesù

Le baroque et le trésor de la Côte-de-Beaupré

À L'Ange-Gardien, un grand tableau baroque d'après Jacques Stella (1596-1657) est accroché dans le sanctuaire. Saint Laurent, hissé par une corde, est sur le point d'être déposé sur le grill dont on aperçoit les flammes. Son corps flotte dans un nuage de fumée. Un faisceau de lumière surnaturelle éclaire son visage et tout son vêtement. Loin d'être effrayé, son regard est plutôt exalté comme s'il participait déjà à l'union avec Dieu.

À Château-Richer, dans un tableau de Joseph Christophe, *Saint François d'Assise recevant les stigmates* est littéralement illuminé. Les yeux révulsés et les mains ouvertes, il connaît l'extase. Un rayon lumineux transfigure son visage. Au sol, un crâne rappelle les vanités humaines.

D'une façon générale (et traités plus loin dans cet ouvrage), les tableaux Desjardins témoignent de l'esprit baroque. La sculpture et l'ornementation des églises de la Côte-de-Beaupré ont comme origine un lointain passé baroque présenté dans une version classique française. Les œuvres du frère Luc s'inscrivent dans cette tradition.

119
D'après Jacques Stella (1596-1657)
Le martyre de saint Laurent
Huile sur toile, 177 cm
L'Ange-Gardien, provenant de Saint-Laurent, Î.O.

118
Joseph Christophe (1662-1748)
Saint François d'Assise recevant les stigmates, XVIIe siècle
Huile sur toile, 225 x 160 cm
Saint-Michel de Sillery

L'art des Jésuites

Les Jésuites ont eu une influence prépondérante dans l'évolution de la spiritualité et des pratiques religieuses aux XVIe et XVIIe siècles. Suivant l'intuition géniale de leur fondateur, ils ont notamment utilisé les arts et l'expérience sensorielle pour leur potentiel émotif et didactique. Ignace de Loyola (1491-1556) a encouragé la pratique méditative dite « composition visuelle des lieux » dans ses *Exercices spirituels*, où le spectateur doit reconstituer dans son esprit les scènes de la vie de Jésus au moyen d'odeurs, d'images et de visions. Le mysticisme baroque unira ainsi l'âme aux sens et l'illumination religieuse à l'imagination[128].

Les Jésuites ont utilisé les arts comme un des outils les plus efficaces de leur apostolat. Dans leurs églises, ils mettent l'accent sur la théâtralité des cérémonies. Ils reprennent notamment la cérémonie des 40 heures avec machinerie, décors en perspective, anges, nuages et rayons lumineux. Le saint sacrement est exposé sur des échafaudages animés de jeux de lumière. Les maîtres-autels se transforment en scène de spectacle où se déroule le mystère de l'Eucharistie[129]. Quant à la décoration des églises, rien n'est ménagé pour la plus grande gloire de Dieu, ce qui fera dire au père J.P. Oliva, général des Jésuites de 1661 à 1681 : « La pauvreté ne convient pas aux églises qui, étant uniquement consacrées à Dieu, ne peuvent aucunement, soit par la majesté soit par la richesse de leurs murs et de leur mobilier, se conformer au mérite infini de la Trinité. Par conséquent, Ignace, notre père et nous, tous ses fils, essayons de répondre à la grandeur de la toute-puissance éternelle déployant le plus possible d'apparat et de gloire[130]. »

La construction de l'église-mère des Jésuites à Rome, le Gesù, a influencé tous les esprits. Vignole en a été l'architecte et ses traités se sont retrouvés dans les bibliothèques des architectes et artisans de la Nouvelle-France, de Claude Baillif à François Baillairgé[131]. Le Gesù est le fruit d'une collaboration entre le général des Jésuites d'esprit rigoriste, François Borgia (1510-1572), et un mécène généreux et génial, le cardinal Alexandre Farnèse (1520-1589).

121

A. Westerhout

Le blason de la Compagnie de Jésus, 1748

Imagines Præporitorum Generalium Societatis Iesu, Rome

120

Album de Sopron, feuillet n° 4

Petite machine pour les « quarante-heures », 1674-1679

Budapest, Musée et Institut national d'histoire du théâtre

La décoration du Gesù s'exprime avec magnificence dans la voûte décorée par Giovanni Battista Gaulli dit Baciccio (1639-1709). Le peintre a réalisé une vision du paradis où la structure de la voûte en trompe-l'œil s'ouvre sur une gloire de lumière, au centre de laquelle le nom de Jésus apparaît resplendissant. L'illusion du paradis est créée par la lumière éclatante qui aspire les personnages vers l'infini.

Toute proportion gardée, la « gloire » au sommet du retable de Saint-Joachim est une évocation du paradis et une volonté de faire participer le spectateur à la gloire céleste qui surgit dans le monde visible dès l'incarnation de Dieu[133]. Sur la voûte, la lumière incarnée par la divine colombe irradie, telle la Pentecôte. Cependant, à Saint-Joachim, le style néoclassique sobre tempère les ardeurs baroques.

123
Thomas Baillairgé
(1791-1859)
La colombe de la Pentecôte
Bois doré
Saint-Joachim

Les Jésuites et la Côte-de-Beaupré

En 1635, les Jésuites sont les premiers prêtres à desservir la Côte-de-Beaupré en tant que missionnaires. La même année, ils fondent à Québec un collège qui sera la première institution d'enseignement secondaire au pays[134]. Envoyé à Québec à titre d'évêque de la Nouvelle-France, Mgr de Laval est aussi un fils spirituel des Jésuites, pour avoir fait ses études à La Flèche, le plus illustre collège jésuite de France. Le Grand Séminaire, qu'il fonde en 1665, n'est d'abord qu'un lieu de résidence et les jeunes séminaristes doivent aller au Collège des Jésuites pour y recevoir leur formation en théologie[135]. En 1749, Mgr de Pontbriand envoie toujours les séminaristes suivre leurs classes au Collège des Jésuites[136]. Ainsi, ceux qui vont devenir les curés de la Côte-de-Beaupré et jouer un rôle déterminant dans la décoration des églises ont tous subi l'influence des Jésuites.

122
Giovanni Battista Gaulli
dit Baciccio (1639-1709)
*Le triomphe du nom
de Jésus*, 1674-1679
Rome,
Église du Gesù

Le résultat est un édifice vaste et spacieux, à nef unique, rappelant les antiques basiliques romaines[132], et à transept monumental surmonté d'une grande coupole rappelant le Panthéon. Le Gesù est devenu le type d'église de la réforme catholique avec cette conception d'un espace central entièrement dégagé pour la prédication. Dans l'esprit de cette organisation spatiale, les églises de la Côte-de-Beaupré suivront le plan jésuite en croix latine.

Les tableaux

Les œuvres de Claude François
dit le frère Luc

Convaincue du pouvoir de l'image, l'église du XVIIᵉ siècle en fait son outil de communication du message chrétien. En Nouvelle-France, ce sont d'abord les missionnaires, tant récollets que jésuites, qui utilisent la gravure et la peinture religieuse pour évangéliser les peuples autochtones[137]. Plus tard, c'est pour la population grandissante des colons – bien qu'elle soit éduquée dans la foi – que le clergé a besoin de représentations éloquentes pour maintenir les convictions religieuses. Quelques grands maîtres sont alors dépêchés en Nouvelle-France, dont le plus illustre est Claude François dit le frère Luc (1614-1685).

Originaire d'Amiens, Claude François vient au Canada en 1670, pour un séjour d'à peine 15 mois. Malgré cela, il aura une influence considérable sur le développement de la peinture religieuse en Nouvelle-France et laissera des œuvres importantes dans les quatre églises de la Côte-de-Beaupré. Après avoir été l'élève de Simon Vouet (1590-1649) à Paris, il séjourne à Rome pendant trois ans et s'y imprègne de l'art de la Renaissance italienne et du baroque à ses débuts. De retour à Paris, en 1640, il devient l'assistant de Nicolas Poussin (1594-1665) pour des travaux de décoration du Louvre. Il ouvre un atelier et se voit nommer « Peintre du Roy[138] ». Il entre au couvent des Récollets en 1641 et prend le nom de frère Luc, du nom du saint patron des artistes.

C'est donc un peintre éminent qui arrive au Canada en 1670, avec cinq collègues récollets, dans le but d'y implanter leur ordre et de rénover le couvent de Notre-Dame-des-Anges, une propriété de la communauté lourdement endommagée par les Kirke durant leur occupation de Québec. La production du frère Luc pendant son séjour au Canada est rapportée en 1691 par le père Chrestien Le Clercq qui écrit dans *le Premier establissement de la foy en Nouvelle-France*[139] :

> Frère Luc LeFrançois, assez connu de toute la France pour un des plus habiles peintres de son temps et qui n'a jamais consacré son pinceau qu'à des ouvrages de piété dont la vue inspire l'esprit de dévotion : ce bon religieux travailla durant 15 mois à plusieurs ouvrages qu'il a laissés comme autant de marques de son zèle : il fit le grand tableau du grand autel de notre église et celuy de la chapelle ; il enrichit l'église de la paroisse Notre-Dame de Québec d'un grand tableau de la Sainte-Famille, celle des Jésuites d'un tableau de l'Assomption […]. Les églises de L'Ange-Gardien, de Château-Richer à la Coste De Beaupré, celle de la Sainte-Famille dans l'Isle d'Orléans et de l'Hôpital de Québec ont été pareillement gratifiez de ses ouvrages.

L'autoportrait du frère Luc

I l est intéressant de savoir que le frère Luc a peint son autoportrait en plaçant son propre personnage dans un grand tableau réalisé pour l'église de Neuville-les-Lœuilly, dans la région de la Somme, en France[140]. L'œuvre est considérée comme un ex-voto gratulatoire, dans le sens où elle évoque le miracle qui l'a jadis ramené à la vie : alors que le jeune Claude François conduit un cheval à l'abreuvoir, l'animal s'emporte soudain et le précipite dans les eaux profondes de la Somme. Miraculeusement sauvé de la noyade, il fait le vœu d'entrer chez les Récollets, quand il sera adulte. Le tableau présente donc le frère Luc, vêtu du costume des Récollets, portant à bout de bras une image de sa chute dans l'eau, alors que la Vierge pose la main sur le corps inerte du jeune noyé, soutenu par saint Augustin, patron des Récollets. Quant à l'Enfant-Jésus, il indique le lien entre la scène de l'accident et le corps inanimé.

124
Claude François
dit le frère Luc (1614-1685)
Le miracle de 1630 ou
Ex-voto à Notre-Dame de Foy
Huile sur toile, 230 x 170 cm
Neuville-les-Lœuilly

106

Le tableau central de l'église de L'Ange-Gardien est une œuvre d'une rare qualité. Il représente un jeune homme, un serpent à ses pieds, les mains croisées sur la poitrine, regardant l'ange d'un air ému et abandonnant sa propre volonté à la sienne. L'ange gardien, suspendu entre ciel et terre, regarde l'adolescent et lui indique la voie de Dieu. Une étendue d'eau occupe l'arrière-scène et le ciel s'ouvre sur la lumière divine, avec le monogramme de Dieu resplendissant. Mgr de Laval s'est préoccupé de ce tableau et a recommandé aux marguilliers de L'Ange-Gardien de « commencer au plus tôt à bâtir une église, n'y ayant qu'un petit logement très méchant où la pluie et la neige peuvent gâter le tableau et tout ce qui est sur l'autel[141] ».

Ce tableau de *L'Ange Gardien* se rapproche beaucoup d'une peinture conservée chez les Ursulines de Québec, portant sur le même sujet et aussi attribuée au frère Luc. Sur cette toile, un jeune homme porte la main droite à sa poitrine et, selon l'habitude du peintre, le majeur et l'annulaire sont rapprochés[142]. L'ange gardien a le bras gauche levé vers le ciel, comme dans l'autre tableau. Toutefois, il marche au lieu de voler et ses ailes sont moins déployées.

Selon François-Marc Gagnon, « le frère Luc se révèle comme un peintre de la Contre-Réforme singulièrement dépendant de l'iconographie jésuite[143] ». Cette iconographie traite surtout du martyre, de l'extase mystique, de la mort, de la Sainte Famille et des anges. C'est le bienheureux François d'Estaing qui est à l'origine du culte de l'ange gardien. Les Jésuites encouragent cette dévotion et favorisent la formation de confréries de l'ange gardien auprès de la jeunesse. C'est ainsi que la présence d'un bon ange, d'un allié loyal et avocat de sa cause, diminue l'angoisse et rend tolérable la perspective du jugement dernier[144].

L'encadrement est remarquable, réalisé vers 1700, soit une trentaine d'années après l'exécution du tableau, et attribué au sculpteur Jacques Leblond de Latour. Conçu pour s'intégrer au retable, il est fait de noyer cendré, tout comme l'autel et les statues. Des groupes de roses, sculptées en ronde-bosse, rappellent les guirlandes de fleurs des colonnes. Les parties plates de l'encadrement sont peintes en imitation d'écaille de tortue tandis que les motifs sculptés sont dorés[145].

Le tableau a probablement été donné à la paroisse de L'Ange-Gardien par Daniel de Rémy, sieur de Courcelle (1626-1698), alors gouverneur de la Nouvelle-France[146], bien qu'une controverse subsiste sur la couleur d'un élément de son blason peint au bas du tableau[147]. Ses armes y sont peintes, surmontées d'une couronne comtale et entourées de deux palmes, mais l'écusson en abîme sur le champ d'hermine est bleu au lieu de rouge. Selon Robert A. Pichette, spécialiste de l'héraldique, il est possible que l'écusson ait été repeint en bleu pour une raison obscure. Si on arrive à le prouver, il faudra conclure que le gouverneur de Courcelle a vraiment offert le tableau à la fabrique de la paroisse de L'Ange-Gardien, probablement par l'intermédiaire de Mgr de Laval avec qui il avait siégé au Conseil souverain de 1665 à 1672.

125
Claude François dit
le frère Luc (1614-1685)
L'Ange Gardien, 1671
Huile sur toile,
244 x 152 cm
Restauré par le Centre de
conservation du Québec
Québec, MNBAQ
(74.255)

126
Attribué à Claude François
dit le frère Luc (1614-1685)
Ange Gardien
Huile sur toile, 132 x 100 cm
Monastère des Ursulines
de Québec

127
Claude François dit
le frère Luc (1614-1685)
*Saint Joachim et la Vierge
enfant*, 1676
Huile sur toile, 164 x 116 cm
Sainte-Anne-de-Beaupré,
MSA

Le frère Luc continue de s'intéresser au Canada bien après son retour en France[148] et réalise des œuvres pour des clients canadiens, en particulier pour le Séminaire de Québec. En 1677, deux grands tableaux sont offerts par Mgr de Laval à l'église de Sainte-Anne-de-Beaupré : *Saint-Joachim et la Vierge enfant* ainsi que *La Vierge et l'Enfant Jésus*.

Ces deux tableaux étaient probablement destinés à être placés au-dessus des autels latéraux, car ils forment une paire et accomplissent un même geste d'offrande. À gauche, saint Joachim présente la Vierge enfant langée de blanc, un voile bleu sur la tête.

À droite, la Vierge adulte offre l'enfant Jésus dans sa crèche. François-Marc Gagnon signale que les deux tableaux respectent la structure trinitaire propre à la « Petite Parenté » de Jésus : saint Joachim – la Vierge, enfant et adulte – Jésus enfant. À son avis, ce choix s'explique par l'importance accordée aux grands-parents de Jésus dans un sanctuaire dédié à sainte Anne.

128

Claude François
dit le frère Luc (1614-1685)
La Vierge et l'Enfant-Jésus,
1676
Huile sur toile, 164 x 116 cm
Sainte-Anne-de-Beaupré,
MSA

129
Claude François dit
le frère Luc (1614-1685)
Jésus adolescent
Huile sur toile, 55,8 x 46,2 cm
Saint-Joachim

En ce qui concerne les deux petits tableaux du frère Luc de l'église de Saint-Joachim, où le *Jésus adolescent* et *la Vierge de douleur* forment une paire, il s'agit de tableaux d'inspiration classique. Le premier présente un personnage de lumière et de sérénité, dont la main droite est levée dans un geste de démonstration qui pourrait s'apparenter à celui de la scène *Jésus au milieu des docteurs*.

Le second montre la Vierge implorant pitié, les mains repliées sur elles-mêmes dans une attitude de tristesse et de souffrance. Selon Gérard Morisset, ces deux tableaux pourraient être associés à un art pratiqué dans le quartier Saint-Sulpice à Paris et qui se caractérise par des images édifiantes soucieuses d'émouvoir le fidèle[149].

Quant au tableau du frère Luc qui ornait le retable de l'église de Château-Richer, il a disparu sans laisser de trace. Comme l'église est dédiée à la Visitation de Notre-Dame, il devait probablement représenter une scène mariale[150].

130
Claude François
dit le frère Luc (1614-1685)
La Vierge de douleur
Huile sur toile, 55,8 x 46,2 cm
Saint-Joachim

111

Le tableau du maître-autel
de Sainte-Anne-de-Beaupré

L e tableau du maître-autel de l'église de Sainte-Anne-de-Beaupré a longtemps été appelé *Ex-voto du Marquis de Tracy* jusqu'à ce que l'historienne de l'art Nicole Cloutier[151] affirme qu'il ne s'agit pas d'un ex-voto et que les armoiries d'Alexandre de Prouville, marquis de Tracy (1603-1670), sont un surpeint, selon un examen radiographique. Bien qu'elle n'arrive pas à identifier l'auteur du tableau, Nicole Cloutier démontre clairement que l'inspiration de l'œuvre relève de deux sources différentes. Au centre, le groupe de l'éducation de la Vierge est repris d'un tableau de Pierre-Paul Rubens (1577-1640), peint en 1625 et exposé aujourd'hui au musée Köninklijk d'Anvers. Pour les deux personnages agenouillés, portant sur l'épaule une coquille Saint-Jacques, emblème des pèlerins, l'auteur a choisi une attitude que l'on trouve dans une gravure de Gabriel Lebrun intitulée l'*Image de la confrérie de la Conception de la Glorieuse Vierge Marie*, conservée à la Bibliothèque nationale de Paris. Au XVIIe siècle, les confréries de métiers avaient l'habitude de distribuer à leurs membres de telles images qui leur servaient souvent de source d'inspiration. Bien que légèrement modifiés, les gestes d'origine se reconnaissent facilement, malgré la suppression d'attributs jugés trop évidents et l'addition de nouveaux éléments d'identité. Ainsi, le saint Joachim et la sainte Anne de la gravure originale ont été changés en pèlerins par l'ajout du bâton de marche, de la gourde, du baluchon, de la croix processionnelle et de la fameuse coquille Saint-Jacques. À juste titre, le tableau a été intitulé *L'éducation de la Vierge aux pèlerins*.

On peut supposer que le marquis de Tracy fait exécuter le tableau en France en 1665 et en fait don l'année suivante, lors d'un pèlerinage à Sainte-Anne-de-Beaupré. La dévotion à sainte Anne est très répandue en France et en Nouvelle-France ainsi qu'en témoignent quantité d'œuvres trouvées dans les différentes communautés religieuses établies au pays[152]. En 1667, Mgr de Laval va même jusqu'à déclarer la fête de sainte Anne fête obligatoire pour toute la colonie. Comment s'étonner alors que le gouverneur de la Nouvelle-France offre un somptueux tableau sur ce thème.

131
Inconnu
L'éducation de la Vierge
aux pèlerins
Huile sur toile, 230 x 190 cm
Sainte-Anne-de-Beaupré,
MSA

Les ex-voto de Sainte-Anne-de-Beaupré

Il est impossible d'évoquer le trésor de la Côte-de-Beaupré sans parler de l'extraordinaire série d'ex-voto peints de l'église de Sainte-Anne-de-Beaupré. Sur 26 ex-voto recensés au Québec, 12 se trouvent à Sainte-Anne-de-Beaupré. Le mot « ex-voto » provient de la formule latine *ex voto sucepto* signifiant « selon le vœu fait ». La pratique d'offrir un ex-voto pour demander ou pour remercier d'une faveur obtenue remonte à l'Antiquité, comme on peut le vérifier à Épidaure en Grèce au sanctuaire d'Esclepios, le dieu de la médecine. C'est une pratique commune à de nombreux pays et les œuvres réalisées s'apparentent souvent à l'art populaire, même s'il leur arrive de mettre en scène l'élite de la société.

Dans son analyse de 342 ex-voto de Provence, Bernard Cousin a établi des constantes qui, si elles ne s'appliquent pas parfaitement aux ex-voto d'ici, éclairent néanmoins notre compréhension. Le tableau se divise généralement en deux registres, l'un céleste, l'autre terrestre. Le saint intercesseur siège habituellement en haut et à gauche, parmi les nuages qui séparent les deux mondes. Le demandeur se situe dans le registre inférieur, au milieu des périls[153]. L'échelle de grandeur des personnages varie selon les époques. Aux XVIIe et XVIIIe siècles, intercesseurs et demandeurs ont approximativement la même taille, alors qu'au XIXe siècle le personnage céleste diminue d'importance, d'autant plus que le demandeur provient des classes populaires.

La principale caractéristique des ex-voto de Sainte-Anne-de-Beaupré est la prédominance de sujets maritimes. À cet égard et à juste titre, les litanies de sainte Anne invoquent « Sainte Anne port des naufragés ». Sur les 12 peintures votives conservées au musée, huit sont des scènes maritimes[154]. L'analyse des détails de plusieurs bateaux a même permis de dater certains tableaux avec plus de précision. La plupart des ex-voto datent du Régime français, entre 1675 et 1754. La pratique d'offrir des ex-voto peints s'étiole par la suite. Suivant une pratique courante de l'époque, ils ne sont pas signés et il est imprudent de leur assigner un auteur sur une seule base stylistique. Nicole Cloutier constate qu'il n'existe aucune unité iconographique dans cette collection et que les artistes étaient libres de figurer sainte Anne sans avoir à se conformer à un modèle particulier. C'est ainsi que la sainte sera représentée tour à tour comme mère, éducatrice ou thaumaturge.

La facture artistique des ex-voto varie considérablement. Deux ou trois tableaux présentent une bonne composition. D'autres sont maladroitement exécutés mais l'inhabileté y est compensée par la vigueur de la conception. Tous sont émouvants.

Les ex-voto gratulatoires, donnés à la suite d'une faveur obtenue, sont les plus courants. Pour sa part, l'ex-voto propitiatoire, où le donateur offre son tableau à l'avance pour demander une faveur, n'est représenté que par *l'Ex-voto de Madame Riverin*. L'ex-voto surérogatoire, offert par simple dévotion, est figuré par *l'Ex-voto de Mademoiselle de Bécancour*.

132
Inconnu
Ex-voto de Pierre Le Moyne d'Iberville, 1696
Huile sur toile, 80 x 50 cm
Sainte-Anne-de-Beaupré,
MSA

Le plus ancien des ex-voto maritimes, celui de *Le Moyne d'Iberville*, a été exécuté en 1696 et se divise en trois scènes. Au loin, un navire de guerre de la flotte de Louis XIV est immobilisé, faute de vent. La scène rappelle l'événement qui a conduit l'équipage à faire un vœu. Dans le registre supérieur gauche, sainte Anne apparaît sous forme d'une iconographie dite « l'éducation de la Vierge » avec un livre comme attribut de sa fonction de pédagogue. La Vierge enfant tend les bras vers le donateur. Dans le registre inférieur, Pierre Le Moyne d'Iberville, agenouillé et coiffé de la grande perruque, offre une écritoire avec deux documents : les conditions de capitulation que les Français ont imposées aux Anglais et le texte de capitulation.

116

Ainsi que le mentionne Nicole Cloutier, ce tableau est exceptionnel par le lien de communication entre les registres supérieur et inférieur : « L'écritoire crée ce lien ; située sur la diagonale entre les yeux de la Vierge et ceux de d'Iberville[155]. » Dans cette œuvre française, on sent la merveilleuse aisance de tous les personnages.

Le groupe de l'éducation de la Vierge sera repris dans l'*Ex-voto de Louis Prat*, de 1706. Louis Prat acquiert *Le Joybert*, un bateau corsaire qui revient d'une expédition fructueuse à Terre-Neuve, au cours de laquelle des navires anglais ont été capturés et pillés. Il le dote d'une nouvelle figure de proue à l'effigie de saint Michel, chef de la milice céleste et vainqueur de Lucifer. Comme le dit Nicole Cloutier, Louis Prat veut, par son ex-voto, donner une signification religieuse à une entreprise commerciale lucrative et mettre l'accent sur les buts nobles de l'expédition.

133
Inconnu
Ex-voto de Louis Prat, 1706
Huile sur toile, 108 x 156 cm
Sainte-Anne-de-Beaupré,
MSA

118

Dans l'*Ex-voto de Monsieur Roger*, de 1717, une éducation de la Vierge occupe la partie supérieure gauche, mais il n'y a pas de lien entre le registre céleste et la scène maritime en bas de l'ex-voto. Sainte Anne et sa fille paraissent absorbées dans leur lecture alors que le navire et son équipage sont immobilisés au milieu des glaces. La taille démesurément grande des marins par rapport au navire confère à l'ensemble un caractère naïf et rustique, alors que le groupe de sainte Anne et de Marie est savamment composé. On serait porté à croire que deux peintres différents ont contribué à l'œuvre.

Quatre ex-voto[156] de la collection de Sainte-Anne-de-Beaupré présentent la mère de Marie seule. Cependant, il n'existe aucun lien iconographique ou stylistique entre ces ex-voto. Sur l'*Ex-voto du Capitaine Édouin*, de 1711, sainte Anne, agenouillée en prière, semble entrer dans la lumière divine. Le navire, un petit trois-mâts de commerce français du XVIIe siècle, soulevé par une immense vague, a perdu tout contrôle. Un récollet, au milieu du navire, agite désespérément les bras tandis qu'un abbé à l'arrière lit calmement son bréviaire. L'incident a pu se produire lors d'un retour de Port-Royal où Antoine Gaulin, un prêtre du Séminaire de Québec, s'acquittait d'une mission. Il devait instruire Vaudreuil des préparatifs des Anglais contre la Nouvelle-France.

134
Inconnu
Ex-voto de Monsieur Roger,
1717
Huile sur toile, 246 x 188 cm
Sainte-Anne-de-Beaupré,
MSA

135
Inconnu
Ex-voto du Capitaine Édouin,
1711
Huile sur toile, 167 x 120 cm
Sainte-Anne-de-Beaupré,
MSA

136
Inconnu
Le Saint-Esprit de Québec,
1753
Huile sur toile, 65 x 80,5 cm
Sainte-Anne-de-Beaupré,
MSA

L'ex-voto *Le Saint-Esprit de Québec*, de 1753, s'inspire de la tragédie des rescapés d'un premier naufrage qui, secourus par le navire *Le Saint-Esprit*, affrontent une seconde tempête. Le navire marchand va finalement s'échouer et ce sont vraisemblablement les rescapés qui offrent l'ex-voto, bien qu'aucune trace d'archives ne permette de l'affirmer. Sainte Anne debout, dans une attitude dramatique, intercède auprès de Dieu pour les naufragés au bord de l'abîme.

On possède peu de renseignements sur *l'Ex-voto à sainte Anne et à saint Antoine de Padoue*. Une sainte Anne agenouillée se penche vers le moine et leurs regards se croisent. La présence de saint Antoine de Padoue, vêtu de la robe de bure des franciscains et suppliant sainte Anne, peut être interprétée comme une manœuvre de l'homme en prière pour donner plus de poids à sa supplique. La barque de pêche est déjà à demi engloutie par les flots déchaînés et le moment ultime est venu d'implorer tous les secours du ciel. On peut supposer que les marins avaient d'abord invoqué saint Antoine et que, n'ayant pas eu de réponse, ils se sont tournés vers sainte Anne. En Nouvelle-France, sainte Anne est l'ultime ressource. Sur 26 ex-voto recensés au Québec, 18 s'adressent à sainte Anne[157].

137
Inconnu
*Ex-voto à sainte Anne
et à saint Antoine
de Padoue*, XVIIIe siècle
Huile sur toile,
155 x 77,5 cm
Sainte-Anne-de-Beaupré,
MSA

ANT. PLAMONDON
Pinxit 1820 à Quebec

L'Ex-voto de Monsieur Juing relate l'histoire de ce marchand de Bordeaux qui, en 1696, se trouve pris au milieu d'une flotte ennemie, en l'occurrence trois bâtiments de guerre hollandais, dans l'estuaire du Saint-Laurent, tout près de Tadoussac. Monsieur Juing leur échappe miraculeusement grâce à l'intervention de sainte Anne. Un vent se lève et enveloppe le navire français d'un tourbillon de neige et de brume, de sorte que le bateau devient invisible pour l'ennemi et peut ainsi s'enfuir dans l'embouchure du Saguenay.

Cet événement n'est pas sans rappeler la rencontre de trois navires français, *Le Saint François Xavier, Le Glorieux* et *La Fleur de May,* avec la flotte anglaise en 1690. Le vent, écrit Mgr de Laval, « qui avoit esté favorable aux nostres, se changea en un moment, et s'estant eslevé une brume et un tourbillon de neige ils [les vaisseaux ennemis] furent rejettés du Saguenay, à l'entrée duquel ils tentèrent jusqu'à quatre fois cinq jours durant, sans en pouvoir venir à bout [...][158]. »

D'après les livres des comptes, en 1696, monsieur Juing fait un don de 25 livres à l'église de Sainte-Anne-de-Beaupré. L'ex-voto aurait été offert par la même occasion. En 1826, on demande à Antoine Plamondon (1804-1895), jeune artiste qui termine sa formation auprès de Joseph Légaré (1795-1855), de réaliser une copie de cet ancien ex-voto trop abîmé pour être conservé. Il modifie la partie supérieure de l'œuvre en reprenant inté-gralement les personnages du Christ et de sainte Anne d'un tableau réalisé en 1825 pour l'église de Cap-Santé. La composition de la scène impliquant les deux personnages célestes est vraisemblablement tirée d'une source rattachée à l'École bolonaise du XVIIe siècle[159]. Une sainte Anne âgée et amaigrie intercède auprès d'un Christ rayonnant de gloire. La tension dramatique de l'espace céleste est accentuée par des cieux incandescents et des nuages sombres alors que l'atmosphère de l'espace maritime est plutôt calme, malgré le coup de canon tiré par un des trois navires ennemis.

138
Antoine Plamondon
(1804-1895)
Ex-voto de Monsieur Juing,
1826
Huile sur toile, 270 x 212 cm
Sainte-Anne-de-Beaupré,
MSA

139

140

141

142

Entre 1825 et 1856, Antoine Plamondon a peint douze versions connues des *Miracles de sainte Anne*, dont il semble s'être fait le spécialiste. Le premier tableau de la série a été produit pour l'église de Cap-Santé et a servi de modèle pour les 11 compositions subséquentes. Dans chacune d'elles, seul le registre inférieur diffère et présente des affligés de toutes sortes, malades, démunis ou naufragés, au gré des emprunts faits par Plamondon sur d'autres toiles. Déjà, dans le tableau de Cap-Santé, l'artiste a tiré d'une *Présentation de Marie au temple*, conservée à l'Hôtel-Dieu de Québec, le personnage de la femme agenouillée en bas à gauche. Dans les tableaux réalisés pour la chapelle de Sainte-Anne à Sainte-Marie de Beauce (1843) et l'église de Baie-Saint-Paul, il utilise le groupe de la femme et des enfants de Caïn, tiré d'une œuvre de Jean-Baptiste Guérin, dont il s'était fait une copie lors d'un séjour de formation chez lui, en France, de 1826 à 1830. Pour le dernier tableau de la série, peint en 1856 pour l'église Saint-Jean de l'île d'Orléans, il retient le buste du personnage de Caïn pour illustrer un naufragé situé en bas à droite[160]. La source des deux autres personnages placés dans une barque en péril n'est pas connue mais ce serait la même que celle qu'il a utilisée sept ans plus tôt pour le tableau de l'église Saint-Joseph de Lauzon (1849). Le tableau de Saint-Jean de l'île d'Orléans est le seul dont le registre supérieur comprend uniquement le personnage de sainte Anne.

Série des *Miracles de sainte Anne* par Antoine Plamondon

		Emplacement des tableaux	Registre inférieur des tableaux
1	1825	Église de Sainte-Famille de Cap-Santé	Des affligés : malades et infirmes / barque en péril
2	1826	Cathédrale de Québec (incendiée)	Réplique de 1
3	1826	Église de Sainte-Anne-de-Beaupré	Navire de M. Juing poursuivi par vaisseaux ennemis
4	1832	Église des Écureuils	Réplique de 1
5	1843	Chapelle de Sainte-Anne, Beauce	La femme et les enfants de Caïn (copie de Guérin)*
6		Église de Baie-Saint-Paul	La femme et les enfants de Caïn (copie de Guérin)*
7		Église de La Malbaie (incendiée)	Réplique de 1 modifiée
8	1849	Église Saint-Joseph de Lauzon	Des naufragés (source inconnue)
9	1852	Église Saint-Jean-Baptiste de Québec	Réplique de 8
10	1856	Église de Saint-Jean, île d'Orléans	Naufragé du coin droit (Caïn, copie de Guérin)*

* Antoine Plamondon a étudié en France à l'atelier du peintre Jean-Baptiste Guérin (1783-1855).

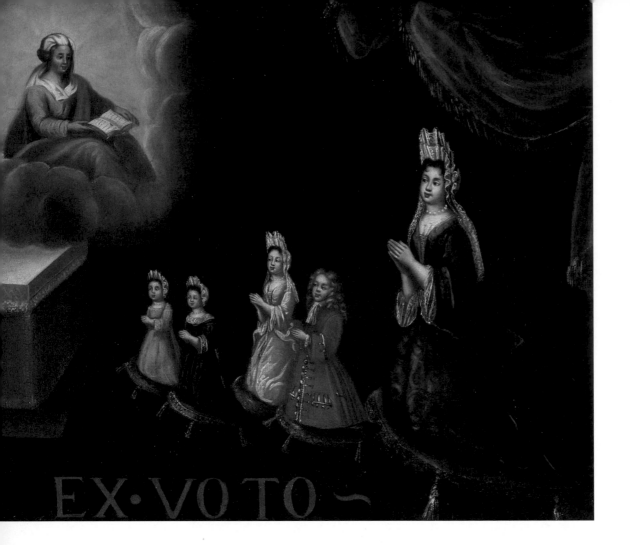

EX·VO TO ⁓

143
Inconnu
Ex-voto de Madame Riverin,
1703
Huile sur toile, 45,6 x 52,7 cm
Sainte-Anne-de-Beaupré,
MSA

L'Ex-voto de Madame Riverin montre le personnage en prière au pied d'un autel avec ses quatre enfants. Sainte Anne apparaît dans la nuée, un livre à la main. Madame Riverin, restée seule en Nouvelle-France après le départ de son mari pour Paris, avait bien des raisons de solliciter la protection de sainte Anne. Elle a pu aussi réclamer une protection pour la traversée prochaine afin d'aller rejoindre son époux en France. À noter les costumes des enfants, vêtus comme des adultes en miniature, y compris le bonnet à la Fontange porté par les trois fillettes[161].

L'Ex-voto de Mademoiselle de Bécancour, de 1675, est offert à sainte Anne par la fille du baron de Portneuf, René Robineau de Bécancour, qui se prénommait Marie-Anne, comme sa sainte patronne. Avant d'entrer au monastère des Ursulines, la fille du seigneur de Portneuf avait mené une vie de cour à la hauteur de son rang. Vêtue de ses plus beaux atours, arborant une coiffe de dentelle très fine, elle s'agenouille au pied d'une sainte Anne et d'une Vierge enfant aux coloris plus sombres. Ce type d'ex-voto surérogatoire ne poursuit aucun but particulier sinon celui d'offrir un cadeau à Dieu.

Au cours d'une récente restauration du tableau, l'opération de nettoyage a révélé la signature de Jacques Galliot, un élève du frère Luc. Il fréquente d'ailleurs son atelier de Paris en 1675. Cela confirme l'influence du frère Luc dans la colonie longtemps après son retour en France.

144
Jacques Galliot
*Ex-voto de Mademoiselle
de Bécancour*, 1675
Huile sur toile,
124,6 x 91,2 cm
Sainte-Anne-de-Beaupré,
MSA

127

EX VOTO,
J.BT. Aucler, Louis
Bouvier. Marthe.
Feüilleteau, tous 3.
Sauvés, Mra chamar age 21a

Margte champagne
age de 20.ants, un jour tou
deux noyez, Le 17.juin.
1754 a 2 heurs du matin,
tous 5 dans ce triste état,
Se recõmandant à la bi-
en heureusse Ste Ane

145

Inconnu

*Ex-voto des trois naufragés
de Lévis*, 1754

Huile sur toile, 31,7 x 52,1 cm

Sainte-Anne-de-Beaupré,
MSA

L'*Ex-voto des trois naufragés de Lévis*, de 1754, comprend un registre supérieur céleste qui consiste en un buste de sainte Anne entouré de nuages et un registre inférieur qui reprend la scène du naufrage. L'exécution est naïve. La scène du naufrage montre deux hommes, l'un en costume du dimanche et l'autre en habit de paysan, tous les deux assis sur un canot d'écorce retourné. Les trois femmes à la mer portent un bonnet de modestie. Les détails de l'incident figurent dans un texte inscrit dans la partie supérieure du tableau. La pratique d'inscrire le récit complet des événements sur le tableau se développe en Europe au XIXᵉ siècle avec l'alphabétisation des populations. La scène du naufrage se situe sur le fleuve Saint-Laurent, non loin d'une île, et les églises pourraient être celles de Beauport et de Pointe-Lévis.

Le tableau du maître-autel
de Saint-Joachim

Le grand tableau de saint Joachim qui surplombe le maître-autel de l'église de Saint-Joachim est une œuvre de l'abbé Jean-Antoine Aide-Créquy (1749-1780), réalisée en 1779, au cours de la difficile période qui suit la guerre de la Conquête. Abandonnée, l'ancienne colonie française doit se suffire à elle-même et les artistes d'alors n'ont d'autre choix que de puiser leur inspiration dans les œuvres de leurs prédécesseurs. Comme le mentionne John R. Porter, la brève carrière d'Aide-Créquy se résume à celle de copiste. Pour réaliser le tableau de *Saint Joachim présentant la Vierge au temple*, il emprunte le personnage masculin au tableau du frère Luc de Sainte-Anne-de-Beaupré, et la Vierge enfant à l'*Ex-voto de Mademoiselle de Bécancour*[162]. Il ajoute à l'œuvre une touche personnelle en créant en arrière-plan un décor architectural dépouillé et en choisissant des coloris qui confèrent une harmonie à l'ensemble.

Les tableaux Desjardins (1817-1820)

Dans la continuité des pratiques développées dans la mère patrie[163], les colons venus de France perpétuent l'habitude d'orner leurs sanctuaires de tableaux. Sous le Régime français, la peinture religieuse au Québec est tributaire de l'importation européenne. Faute d'enseignement artistique structuré, les œuvres produites au pays sont techniquement imparfaites bien que riches sur le plan culturel[164]. Après la Conquête, la construction de nouvelles églises accentue la demande de tableaux religieux alors que la production locale est presque inexistante et les importations, interrompues. C'est pour combler ce besoin que les abbés Philippe et Louis-Joseph Desjardins font parvenir à Québec deux importants lots de tableaux confisqués dans les églises de la région parisienne lors de la Révolution française. Ainsi, en mars 1817, 120 toiles à sujets religieux sont mises en vente publique dans la chapelle de l'Hôtel-Dieu de Québec, suivies de 60 autres en 1820[165].

À cause du coût élevé, l'acquisition de tableaux par des paroisses est restreinte et seulement dix d'entre elles, majoritairement situées sur la rive sud du Saint-Laurent, choisiront de le faire[166]. Des curés, plus instruits et mieux informés des pratiques culturelles européennes, inciteront davantage leurs ouailles à en faire l'achat. Ces prêtres occupent

des positions influentes dans le haut clergé, même si leur ministère se fait en milieu rural[167]. Ils sont près de Mgr Plessis, évêque de Québec et mécène, ou encore des professeurs les plus cultivés du Séminaire de Québec, comme l'abbé Jérome Demers. Quelques-uns ont connu la Révolution et conservent la nostalgie de la France pré-révolutionnaire. C'est le cas de l'abbé Jean Raimbault (1770-1841), vicaire à Château-Richer puis curé à L'Ange-Gardien de 1797 à 1805. Déjà en 180, il a acquis, de la paroisse de Saint-Laurent de l'île d'Orléans, *Le Martyre de saint Laurent*, un tableau d'origine européenne (fig. 119).

En 1820, le curé Pierre-Olivier Langlois-Germain (1771-1827), homme éclairé et cultivé, se procure cinq grands tableaux Desjardins pour orner les murs de l'église de Château-Richer. Ces œuvres feront partie du décor de 1820 à 1898. En 1898, le curé Joseph-Apollinaire Gingras (1867-1910) décide de rénover l'église et de se départir des cinq tableaux. Il les cède à l'église Saint-Michel de Sillery où on peut encore les voir aujourd'hui[168]. Par ailleurs, il acquiert cinq tableaux de l'atelier des Sœurs du Bon-Pasteur, dont ceux qui sont peints par sœur Sainte-Virginie, née Marie-Elmina Rhéaume (1864-1956), originaire de la paroisse de Château-Richer.

Le groupe des cinq tableaux, installés dans l'église de Château-Richer pendant près de 80 ans, comprend une annonciation, une adoration des mages, deux épisodes de la vie de saint François et un repas d'Emmaüs[169]. Laurier Lacroix, spécialiste des tableaux Desjardins, en a fait une analyse détaillée. *L'Annonciation* est une composition pleine de mouvement. Le moment choisi par l'artiste est celui où la Vierge agenouillée se retourne et aperçoit l'archange Gabriel en plein vol, qui lui tend un lys. Un grand nombre de personnages sont distribués uniformément dans tout le tableau. Des anges soulèvent un rideau et dévoilent Dieu assis sur un trône de nuages. Les couleurs chatoyantes ajoutent à l'animation.

L'attribution du tableau au peintre Michel Dorigny (1617-1665) semble définitive depuis la découverte, par Pierre Rosenberg, du dessin préparatoire dans la collection de Suida Manning, maintenant conservée à l'Université du Texas à Austin. La composition de Dorigny est tributaire d'une *Annonciation* de Simon Vouet (1590-1649) conservée au Musée des Offices à Florence[170].

149
Jean Senelle
(1603-1671)
La Mort de Saint François d'Assise
Huile sur toile, 225 x 160 cm
Saint-Michel de Sillery

La Mort de Saint François d'Assise a longtemps été attribuée à l'artiste romain Andrea Sacchi (1599-1661). Des recherches récentes ont permis à Laurier Lacroix de proposer une attribution au peintre français Jean Senelle (1603-1671). La scène se passe à l'Hermitage de Portioncule à la mort de saint François en 1226. Le moment choisi par l'artiste est celui où le saint, entouré de ses fidèles, reçoit les derniers sacrements[171]. L'artiste se concentre sur un nombre restreint de figures. Le regroupement serré des moines autour du mourant, leur attitude empreinte de tristesse et la blancheur du surplis contrastant sur un fond très obscur confèrent à l'ensemble un caractère dramatique.

Une copie de ce tableau a été effectuée par sœur Sainte-Virginie, née Marie-Elmina Rhéaume et sœur Saint-Amédée, née Maria-Gracia Plourde (1865-1956), de l'atelier des Sœurs du Bon-Pasteur. Cette copie appartient à la fabrique de Château-Richer et est conservée au Musée de l'Amérique française. D'après Lise Drolet[173], l'atelier des Sœurs du Bon-Pasteur produisait régulièrement des copies d'œuvres européennes, mais se limitait à quelques modèles seulement. Le choix d'un sujet comme *Saint François d'Assise recevant les stigmates* est inhabituel et peut sans doute s'expliquer par le fait que sœur Sainte-Virginie, native de Château-Richer, en avait gardé un souvenir d'enfance.

151
Sœur Sainte-Virginie
(Marie-Elmina Rhéaume)
(1864-1956)
Saint François d'Assise recevant les stigmates
Huile sur toile,
278 x 198,5 cm
Château-Richer,
en dépôt au MC (1978.2)

150
Joseph Christophe
(1662-1748)
Saint François d'Assise recevant les stigmates
Huile sur toile,
225 x 160 cm
Saint-Michel de Sillery

Saint François d'Assise recevant les stigmates est attribué à Joseph Christophe (1662-1748). Le saint est en prière, un livre et un crâne à ses pieds. Le 15 septembre 1224, dans la caverne d'Alverne, un séraphin, identifiable à ses trois paires d'ailes, lui apparaît dans un ciel orageux. Des éclairs transpercent les mains, les pieds et le côté droit du saint. Les yeux tournés vers le ciel et les bras écartés, saint François apparaît sur un fond montagneux. Le frère Robert, témoin de la scène, est prostré. Ce tableau s'inscrit dans la lignée des représentations traditionnelles de saint François recevant les stigmates, exécutées à la fin du XVIe siècle par Jacopo da Empoli (1554-1640) et reprises au XVIIe siècle par Le Guerchin (1591-1666)[172].

L'abbé Louis-Joseph Desjardins concède *L'Adoration des Mages* à Charles Eykens. D'après Laurier Lacroix, cette attribution ne saurait être retenue[174]. Cette ambitieuse composition du XVIIe siècle se rattache à l'École flamande. Plusieurs personnages composent la scène, dont les mages et leur équipage venus reconnaître la divinité de l'Enfant-Jésus.

Le Repas d'Emmaüs a été attribué à Franz Pourbus (1545-1581) par l'abbé Louis-Joseph Desjardins. Toutefois, Gérard Morisset l'a accordé à l'École vénitienne du XVIe siècle et James Carter, avant lui, à Luca Signorelli (1445-1523). L'étiquette Signorelli est toujours en place sur l'encadrement. Selon Laurier Lacroix, aucune de ces attributions ne peut être retenue[175]. La composition est magnifique et son traitement, monumental. Les personnages sont illuminés, comme touchés par la grâce transmise par cette rencontre exceptionnelle. Ils sont représentés de face avec des étoffes aux couleurs riches et intenses. Par une fenêtre située en haut, à gauche, on aperçoit une scène prémonitoire de la rencontre du Christ et de deux disciples.

153
Inconnu
Le Repas d'Emmaüs,
fin du XVIe siècle
Huile sur toile, 182 x 203 cm
Saint-Michel de Sillery

138

Les tableaux ultérieurs à 1820

Joseph Légaré

L'œuvre religieuse de Joseph Légaré (1795-1855) s'échelonne sur une période de dix ans, de 1820 à 1830. À ses débuts, il exécute des copies intégrales des tableaux Desjardins[176]. Avec le temps, il interprète davantage, sa manière devient plus personnelle et il structure souvent ses tableaux à partir de plusieurs sources.

En 1836, il réalise *Le Christ en croix*, un tableau monumental conservé à l'oratoire des Rédemptoristes de Sainte-Anne-de-Beaupré. Cette œuvre s'inspire de deux tableaux du maître de la peinture flamande du XVIIe siècle, Anton Van Dyck (1599-1641), soit *Le Christ en croix avec des anges*, conservé à l'église Saint-Nicolas des Champs à Paris, et *Le Christ à l'éponge,* qui se trouve à l'église Saint-Michel de Gand en Belgique[177].

Légaré réussit ici, avec un certain succès, à fondre deux œuvres différentes portant sur la crucifixion du Christ. D'une part, il reprend exactement la scène créée par les six personnages occupant le registre inférieur du *Christ à l'éponge* et, d'autre part, il remplace systématiquement le personnage du Christ, tête baissée vers sa mère et saint Jean, par celui du tableau *Le Christ en croix avec des anges*, où toute l'expression du corps est portée vers le ciel. Il intègre aussi les deux anges qui figurent dans le registre supérieur gauche de ce tableau. Une copie de cette œuvre de Van Dyck était parvenue à Québec en 1817 avec le fonds de tableaux des abbés Desjardins et Joseph Légaré en avait fait deux copies intégrales, une pour l'Hôpital-Général de Québec (1824) et l'autre pour l'église de Notre-Dame-de-Foy (1825).

N'étant jamais allé en Belgique, Joseph Légaré n'a pas pu voir *Le Christ à l'éponge* d'Anton Van Dyck. Il a tout probablement utilisé une gravure du Hollandais Schelte à Bolswert (1586-1659), réalisée à partir de ce tableau et dont la plaque de cuivre se trouve aujourd'hui au Musée Plantin-Moretus à Anvers[178].

154
Joseph Légaré (1795-1855)
Le Christ en croix, 1836
Huile sur toile, 4,5 x 2,43 m
Sainte-Anne-de-Beaupré,
Oratoire des Rédemptoristes,
acquis en 1963.

Les sources d'inspiration du tableau de Joseph Légaré

155
Anton Van Dyck
(1599-1641)
*Le Christ en croix
avec des anges*, vers 1630
Huile sur toile
Paris, église Saint-Nicolas
des Champs

156
Anton Van Dyck
(1599-1641)
Le Christ à l'éponge
Huile sur toile
Gand, église Saint-Michel

140

Les œuvres
utilisées par
Joseph Légaré

157
D'après Anton Van Dyck
*Le Christ en croix
avec des anges*
Huile sur toile
ANQ-Q, Québec,
Basilique Notre-Dame,
détruite en 1922
et provenant
du fonds Desjardins.

158
Schelte à Bolswert
(1586-1659)
Le Christ à l'éponge
Gravure
Anvers,
Musée Plantin-Moretus

Antoine Plamondon

De 1819 à 1824, Antoine Plamondon travaille comme apprenti de Joseph Légaré, avant d'aller poursuivre ses études en France pour un séjour de quatre ans. La copie est alors une forme de production artistique très répandue en Europe, que ce soit pour la formation des peintres ou pour la diffusion d'œuvres appréciées et populaires. Plamondon consacrera donc toute sa carrière à la copie, qu'il aborde comme de la « peinture d'histoire ». Il lui attache plus d'importance qu'à la peinture de portrait[179], qui pourtant fera sa renommée.

Pratiquée en Nouvelle-France dès le début du XVIIIe siècle et surtout au lendemain de la guerre de la Conquête, la copie connaît un essor considérable avec l'arrivée du fonds Desjardins, qui procure un éventail important d'œuvres à copier et suscite l'émergence de toute une génération d'artistes copistes. Incapables de reproduire avec fidélité le dessin, les coloris et le style propre des grands maîtres, les peintres copistes s'en tiendront à leur composition générale[180]. En s'appropriant le contenu des modèles sans en adopter la forme, « ils produisent les signes caractéristiques d'un style différent avec ses spécificités propres [...][181]. »

À l'instar de son maître Légaré, Plamondon va intégrer dans ses compositions des emprunts à diverses sources, de sorte qu'une activité de création va graduellement naître de ce processus d'appropriation[182]. John R. Porter définit cette création dans le sens de la composition d'un ensemble inédit qui dépend d'éléments empruntés. Interpellé sur ses capacités à réaliser des œuvres de composition, Plamondon relève le défi en produisant des tableaux synthèses[183]. Hélas, après 1850, un Plamondon vieillissant cesse d'expérimenter l'art de la composition et retombe dans ses anciennes habitudes de copiste[184]. Les œuvres produites pour l'église de Saint-Joachim datent de 1869 et portent l'empreinte de cette sclérose et de ce déclin. Plamondon a une prédilection pour certains artistes français et italiens, dont Raphaël et Guido Reni. Pour l'église de Saint-Joachim, il emprunte à ces maîtres *La Madone de saint Sixte* (fig. 105a) et le *Saint Jean-Baptiste* (fig. 108a).

Antoine Plamondon a dominé le marché de l'art religieux au Québec pendant deux décennies et quatre de ses œuvres se sont aussi retrouvées à la chapelle du Petit Cap à Cap-Tourmente, soit une *Madone à l'Enfant*, un *Saint Joseph*, un *Saint Augustin* et un *Saint Vincent de Paul*.

L'atelier des Sœurs du Bon-Pasteur

La copie de tableaux religieux se poursuivra pendant plus d'un siècle au Québec, comme en font foi les activités d'un groupe aux prétentions modestes : l'atelier des Sœurs du Bon-Pasteur. Ce groupe tient son originalité du fait d'avoir été mis sur pied au sein d'une communauté religieuse de femmes, et d'avoir permis à celles qui en avaient le talent de se spécialiser dans la production d'œuvres religieuses destinées à soutenir les dévotions de l'époque. L'atelier a poursuivi ses activités durant un siècle, de 1860 à 1960, à la maison mère des sœurs du Bon-Pasteur, rue De La Chevrotière, sauf pour un intermède de douze ans, de 1915 à 1927, où il s'est transporté au pensionnat Saint-Jean-Berchmans. Un incendie a alors détruit l'atelier et ses archives. On a ainsi perdu la trace d'au moins 400 tableaux produits jusque-là. Une douzaine de femmes artistes s'y sont succédé et quatre d'entre elles se sont particulièrement distinguées, dont sœur Sainte-Virginie.

Les thèmes traités sont restreints et se répètent souvent. Au moins 40 tableaux ont été répertoriés sur le thème du Sacré-Cœur. Près de la moitié d'entre eux portent sur l'apparition du Sacré-Cœur à Marguerite-Marie Alacoque (1647-1690)[185]. La dévotion à saint Joseph a aussi suscité de nombreux tableaux évoquant surtout la mort de ce dernier et l'atelier de Nazareth. Quatre tableaux ont été réalisés pour l'église de Château-Richer, dont une *Apparition du Sacré-Cœur à Marguerite-Marie Alacoque*, une *Mort de Saint Joseph*, un *Saint Joseph ouvrier* et un *Saint François recevant les stigmates*.

159
Atelier des Sœurs
du Bon-Pasteur
*L'apparition du Sacré-Cœur
à Marguerite-Marie Alacoque*
Huile sur toile
Château-Richer

Le procès de L'Ange-Gardien

Il s'agit d'un événement pénible mais trop important dans l'histoire de la Côte-de-Beaupré et du Québec en général pour qu'on le passe sous silence. Ce procès fait encore jurisprudence à ce jour et a freiné l'hémorragie de biens ecclésiastiques. Il a aussi marqué un changement d'attitude envers la conservation et la mise en valeur du patrimoine et des biens culturels mobiliers. À l'époque, des marguilliers ont amorcé le plus grand mouvement de sensibilisation à la protection du patrimoine religieux.

En 1962, le concile du Vatican II lance un vaste programme de renouveau liturgique : abandon du latin et utilisation de la langue vernaculaire pour le culte, simplification du costume des prêtres et des religieux et fin des cérémonies où l'officiant tourne le dos aux fidèles en célébrant la messe. On suggère de détacher la sainte table du maître-autel et de l'avancer. Les homélies ne se déclament plus du haut de la chaire. C'est un virage à 180 degrés qui envoie un message ambigu dans les paroisses. Le passé est révolu, les anciennes structures, y compris le mobilier et les vases sacrés, sont choses désuètes.

Certains curés, inconscients de la valeur artistique des biens qui leur sont confiés, se débarrassent des « vieilleries ». Ainsi 15 ans plus tard, lors d'un inventaire des biens de la paroisse de L'Ange-Gardien[186], il ne reste plus que 3 pièces anciennes d'un trésor qui, 40 ans plus tôt dans l'inventaire de Gérard Morisset[187], en contenait une trentaine. Le calice de François Ranvoyzé et celui de François Sasseville, de même qu'une madone de procession, se retrouvent au Musée des beaux-arts du Canada. Six chandeliers datant de 1700, un ange de Louis Jobin ainsi qu'une porte de baptistère d'André Paquet se retrouvent au Musée du Québec. Deux statues en pied de *Saint Roch* et de *Saint Jean Baptiste* sont devenues la propriété de Jean Soucy, directeur du Musée du Québec.

Le peintre Jean Paul Lemieux détient une madone, un encensoir de François Ranvoyzé, un bénitier de Laurent Amiot et des burettes de François Sasseville. Le statuaire collectionneur Roger Prévost, quant à lui, possède une navette et des ampoules aux saintes huiles de François Ranvoyzé, un goûte-vin de Mailloux et dix chandeliers en bois. Tous ces respectables citoyens ont fait l'acquisition des œuvres directement auprès du curé Gariépy ou par l'intermédiaire d'antiquaires.

En 1973, la fabrique de la paroisse de L'Ange-Gardien intente une poursuite judiciaire contre son curé et les collectionneurs.

160
Inconnu
Saint Roch,
fin XVIIᵉ siècle (hypothèse)
Bois polychrome, 170 cm
L'Ange-Gardien

La décision du tribunal dans l'affaire L'Ange-Gardien

Après plusieurs années de procédure, le 18 janvier 1980, le juge Jean-Paul Étienne Bernier rend sa décision dans la cause qui oppose la fabrique de L'Ange-Gardien et son curé[188].

Le tribunal traite d'abord de la question de l'usage, car les défenseurs prétendent que les ventes faites par la fabrique sont conformes à l'usage. À cela, le juge répond que l'usage ne peut être invoqué à l'encontre de la loi. Le tribunal s'attaque ensuite à la question fondamentale : les choses sacrées sont-elles hors commerce ? Il répond catégoriquement qu'elles le sont « tant que leur destination n'a pas été changée par un acte clair et précis ».

Le juge a aussi clarifié plusieurs points à partir des règles du droit canon qui régit la religion catholique :

· la fabrique est seule propriétaire des biens paroissiaux et le curé ne peut aliéner ces biens ;

· le curé n'est qu'un membre parmi d'autres de la fabrique ;

· la fabrique ne peut déléguer au curé ses pouvoirs et privilèges et ce dernier ne peut agir en lieu et place de la fabrique ;

· la destination des choses sacrées utilisées pour le culte ne peut être changée que par l'autorité ecclésiastique compétente, soit l'évêque ;

· la fabrique ne peut aliéner ses biens sans obtenir l'autorisation de l'évêque.

Le juge conclut ensuite que les objets en instance étaient des choses sacrées dont la destination n'avait pas été changée par l'évêque et qu'ils étaient donc hors commerce et imprescriptibles. Ces objets devaient donc être présumés choses sacrées et les défendeurs devaient s'assurer en premier lieu que la destination au culte en avait été changée.

Par conséquent, le tribunal a déclaré de nullité absolue tous les actes ayant entraîné la dépossession des biens revendiqués par la fabrique et a ordonné aux acheteurs de rendre à la fabrique les biens qu'ils détenaient. La cause a été portée en appel. La cour a confirmé le même jugement et a rejeté l'appel.

Cette affaire a été suivie avec grand intérêt par tous ceux qui s'intéressaient au patrimoine religieux et au marché de l'art au Québec. Un seul point demeure litigieux dans ce dossier. À cause de sa localisation hors frontière, dans un musée américain, le ciboire de L'Ange-Gardien n'a pas été récupéré. Pourtant, en 1969, lors de l'acquisition de la pièce par le Detroit Institute of Arts, il existait des ententes légales entre le Canada et les États-Unis interdisant la vente d'objets à valeur patrimoniale. Les paroissiens de L'Ange-Gardien ont donc un travail à achever.

161
Inconnu
Saint Jean-Baptiste,
fin XVIIe siècle (hypothèse)
Bois polychrome, 170 cm
L'Ange-Gardien

La Côte d'or... de Beaupré

Les miettes d'un riche passé

É crire l'histoire, c'est tenter de reconstituer l'image d'un casse-tête dont il ne reste qu'une partie des morceaux. Des trésors anciens des quatre paroisses de la Côte-de-Beaupré, personne ne verra jamais les 94 objets connus seulement par les archives. Les 50 objets conservés ne représentent donc que 35 % de l'image globale !

	Conservation des objets	
Paroisses	connus seulement par les archives	conservés
Château-Richer	5	8
L'Ange-Gardien	31	12
Saint-Joachim	23	17
Sainte-Anne-de-Beaupré	35	13
Total	94	50

L'analyse en profondeur du cas de la paroisse du Cap-Santé[189] a amplement démontré la complexité de l'interprétation des informations toujours partielles tirées des archives paroissiales et des livres de comptes. L'étude des relevés non exhaustifs effectués sur la Côte-de-Beaupré n'échappe pas à cette difficulté[190] ! La chronologie des objets conservés et des mentions d'archives constituera la charpente de la présente analyse.

	Chronologie	
Dates	Époques	Objets et archives
Inconnues	Non datées	17
1615-1625	Récollets	0
1625-1661	Jésuites	4
1661-1700	Splendeurs sous Louis XIV	8
1700-1760	Orfèvres en Nouvelle-France	10
1760-1771	Début du Régime anglais	10
1771-1819	Époque Ranvoyzé-Amiot	54
1819-1839	Fin de carrière d'Amiot	16
1839-1864	Époque Sasseville	16
1864-1914	Fin d'une tradition	9
Total		144

Les types d'objets relevés illustrent parfaitement les besoins du culte de l'Église catholique. Les 14 ciboires et les 12 calices indiquent l'importance de ces vases liturgiques au centre de la célébration de l'Eucharistie, par le dogme de la transsubstantiation ou la double transformation du pain et du vin dans le corps et le sang du Christ. Les burettes (11 références) sont aussi liées à ce dogme par le vin et l'eau, ainsi que le porte-dieu (8 références) qui sert à transporter la petite hostie pour la communion aux malades.

	Typologie	
Quantité	Objets et archives	Sous-total
14	Ciboire	14
12	Calice	12
11	Burettes	11
8	Bénitier · Porte-dieu	16
7	Encensoir	7
6	Plat à burettes	6
5	Lampe du sanctuaire · Piscine	10
4	Aiguière baptismale · Chandeliers · Ampoules et boîtiers aux saintes huiles · Goupillon · Navette · Ostensoir	28
3	Croix de procession · Inventaire	6
2	Argenterie · Croix · Cuiller · Instrument de paix · Lampe · Patène · Goûte-vin · Vases sacrés · Dentelle	18
1	Agrafes · Argenture · Candélabres · Cuiller · Croix d'autel · Croix du banc d'œuvre · Croix · Encens · Louche · Moules à chandelles · Plat en forme de corbeille · Plat · Reliquaire de sainte Anne · Réparations · Tasse · Verge ou baguette d'office du bedeau	16
	Total	144

L'utilisation des métaux précieux ne s'est pas limitée aux seuls objets en contact direct avec l'Eucharistie, mais à une quantité d'autres objets de culte ou de décor liturgique. Les archives de Sainte-Anne-de-Beaupré rapportent deux types d'objets rares et sophistiqués : des dentelles et agrafes en argent fabriquées en 1799 et 1800. Château-Richer avait également acquis une telle dentelle dès 1748. À quoi faisait-on référence en utilisant l'expression « dentelles d'argent » : un filigrané ajouré sans fond ? de la broderie, du tissage ou de la vannerie métalliques ? ou bien des paperoles[191] ?

Notre orfèvrerie ancienne est majoritairement fabriquée en argent, matériau sur lequel on appliquait parfois une dorure au mercure pour certaines parties comme les coupes des calices et ciboires. Le tiers des références pour la Côte-de-Beaupré ne précisent pas le matériau ; on peut donc induire que ces objets étaient majoritairement faits en argent. Faute de pouvoir toujours se payer le métal précieux, on utilisa l'étain pour certains objets de culte. Entre ces deux extrêmes on trouvait d'autres métaux argentés : soit l'argent haché, une ancienne technique très présente en Nouvelle-France[192] ; soit le cuivre argenté, selon les techniques du laminage tel qu'il était pratiqué au Royaume-Uni, principalement à Sheffield[193] ; soit l'argenture électro-chimique, électrolytique ou galvanoplastie, utilisée en Angleterre par Elkington & Co, vers 1836-1837[194], ainsi qu'en France, peu après, par la maison d'orfèvrerie Christofle[195]. Cette technique de placage allait révolutionner la pratique du métier d'orfèvre et la commercialisation de l'orfèvrerie.

La situation dans chacune des paroisses

Le Séminaire de Québec, institué par Mgr de Laval, a joué un rôle considérable dans l'établissement des paroisses de la Côte-de-Beaupré. Une partie importante de leur orfèvrerie au XVIIe siècle a donc pu provenir de cette institution ou de personnes qui y étaient rattachées[196].

Château-Richer

Les pièces d'orfèvrerie de cette fabrique sont placées en dépôt au Musée de la civilisation, section Musée de l'Amérique française, naguère le Musée du Séminaire de Québec. Les relevés des livres de comptes de cette paroisse couvrent seulement la période de 1741-1781. La majorité des objets sont de François Ranvoyzé. Ses ampoules aux saintes huiles, très simples, sont typiques de l'époque, tout à fait semblables à celles de L'Ange-Gardien (fig. 164) datant de 1790. La présente étude a permis de découvrir que les motifs décoratifs de sa navette (fig. 180) imitaient ceux de Paul Lambert dit Saint-Paul.

Outre le ciboire de 1660-1661 de Claude Boursier (fig. 175), la paroisse possède l'un des plus anciens ostensoirs conservés au Québec (fig. 163). D'abord attribué à François Ranvoyzé, il fut ensuite considéré comme une importation parisienne[197]. Les découvertes sur les poinçons du XVIIe siècle[198] permettent dorénavant de dater cet objet de 1638-1639 ! Ce qui oblige à réviser toute une historiographie basée sur l'analyse stylistique de cet objet, faussement dit du style Louis XIV, et de ses imitations par les orfèvres locaux. Il faudra dorénavant considérer l'influence du plus pur style Louis XIII sur l'orfèvrerie coloniale. Cet ostensoir est donc contemporain de la première chapelle de bois érigée en 1635. Constatation qui vient dépoussiérer plusieurs idées reçues sur la supposée pauvreté de ces chapelles primitives.

Poinçon
Voir fig. 163

Ce magnifique objet, à cause de sa fragilité, a toutefois été fortement modifié : les petits pieds ont été ajoutés ; le soleil a été remanié afin de faire place à une nouvelle lunule et une nouvelle croix alors que les rayons ont été pliés pour y insérer les anges ; et il a été réargenté de façon grossière. Il aurait besoin d'une restauration éclairée…

152

L'Ange-Gardien

Le nom de cette paroisse évoque une nouvelle jurisprudence qui a chambardé de fond en comble les pratiques du marché de l'art ancien et de la préservation des biens patrimoniaux. Après deux procès, la fabrique a récupéré, en 1988, sept pièces d'orfèvrerie. Du grand peintre Jean Paul Lemieux : le bénitier d'Amiot (fig. 200), les burettes de Sasseville (fig. 213) et l'encensoir de Ranvoyzé (fig. 182). Du Musée des beaux-arts du Canada : les calices de Ranvoyzé (fig. 183) et de Sasseville (fig. 210). Du collectionneur Roger Prévost : l'encensoir et la navette de Favier Frères (fig. 209) et les ampoules aux saintes huiles de Ranvoyzé (fig. 164).

164
François Ranvoyzé
(1739-1819)
Ampoules aux saintes huiles, 1790
H. 6,4 cm
L'Ange-Gardien

Son objet le plus ancien, un magnifique ciboire du XVIIᵉ siècle, pourrait être celui que conserve le Detroit Institute of Arts. Selon Ross Fox, ce ciboire, déjà erronément attribué à François Ranvoyzé, date du style Louis XIII en vogue au milieu du XVIIᵉ siècle[199]. Le style, le matériau, la facture et l'absence de poinçons dénotent plutôt un style provincial français duquel participe également le ciboire identique conservé chez les Ursulines de Québec[200]. Fox prête foi au témoignage de l'antiquaire Jean Octeau qui donnait la fabrique de L'Ange-Gardien comme provenance du ciboire de Detroit. Mais cet antiquaire montréalais aurait tout aussi bien pu se procurer un autre ciboire identique qui se serait trouvé à l'église de Longueuil en 1936[201]…!

Il est étonnant que cette paroisse, fondée en 1664, n'ait pas conservé davantage d'orfèvrerie ancienne. Hormis le ciboire mentionné ci-dessus, toutes les références concernent des objets postérieurs au milieu du XVIIIᵉ siècle. On ne peut exclure la possibilité de l'existence de pièces anciennes parmi la trentaine de pièces d'orfèvrerie dont la présence est révélée par les archives[202] et les inventaires de 1845[203], 1881[204] et 1914[205]…

165
France, Province
Ciboire, XVIIᵉ siècle
H. 25,7 cm
L'Ange-Gardien,
Detroit Institute of Arts,
(69.13)

166
François Ranvoyzé
(1739-1819)
Ciboire, 1814
L'Ange-Gardien

153

Saint-Joachim

Le cas de cette paroisse s'apparente à celui de L'Ange-Gardien. Il n'existe aucun relevé de livres de comptes avant 1765. Un seul objet du Régime français est conservé : un très intriguant ostensoir de Toussaint Testard, remanié par l'orfèvre français Michel Delapierre et par l'orfèvre de Nouvelle-France Jacques Pagé dit Quercy (fig. 176). Les autres objets sont l'œuvre de Ranvoyzé (6) et d'Amiot (10).

Sainte-Anne-de-Beaupré

En plus des 13 objets conservés, les archives de cette paroisse font référence à 35 autres pièces d'orfèvrerie ! Cette abondance est certainement liée au très important centre de pèlerinage qui y est actif depuis le XVIIe siècle. On y conserve trois importantes pièces françaises du XVIIe siècle (fig. 5, 169 et 172). Plusieurs mentions des archives font connaître diverses commandes des XVIIe et XVIIIe siècles. Cette activité s'est poursuivie aux XIXe et XXe siècles, la collection s'enrichissant d'objets somptuaires dont plusieurs débordent les limites chronologiques de cette étude[206].

167
Poussielgue et Rusand Fils,
France, Paris, 1891
Poinçon insculpé en 1891,
biffé en 1903

Saint Louis offrant son sceptre
à sainte Anne, Ex-voto offert
par le comte de Paris à l'église
de Sainte-Anne-de-Beaupré
en souvenir de sa visite
le 29 octobre 1890
49 x 39 cm
Sainte-Anne-de-Beaupré

Les orfèvres

L'identification des poinçons

L'orfèvre s'exprime par les matériaux et les formes. La seule analyse stylistique n'assure pas l'identification précise du maître et de la date de fabrication. Mais les poinçons le permettent mieux, ces marques insculpées sur le métal précieux.

En France, le système strictement réglementé a connu plusieurs modifications. Le poinçon de maître est celui de l'orfèvre contrôlé par la corporation. Le poinçon de jurande est appliqué par un garde assermenté et atteste de la qualité du métal précieux : cette lettre-date changeait habituellement chaque année selon l'ordre d'alphabets aux formes et dessins variés. La réforme de 1672 ajoute un contrôle fiscal par les poinçons de la Marque (charge, décharge et divers autres). La plus grande partie de l'orfèvrerie exportée en Nouvelle-France provenait de Paris, juridiction identifiée par le poinçon de charge A. La Révolution française amena diverses modifications successives : les nouveaux poinçons de titre et de garantie ne permettent plus de retracer aussi précisément la ville d'origine et la date de fabrication.

En Nouvelle-France, il n'existait ni corporation, ni enregistrement, ni taxes. L'orfèvre pouvait changer à sa guise son poinçon de maître qui imitait ceux des orfèvres français. Sous le Régime anglais, les poinçons changèrent radicalement de forme, imitant désormais ceux de la nouvelle métropole.

Poinçons sur la croix de l'ostensoir de Saint-Joachim (fig. 176)

Poinçons en usage dans la juridiction de Paris du 17 avril 1704 à novembre (?) 1712 : les gardes Étienne Baligny, Charles de la Haye, Florent Sollier et Jean Simonet.

1 Décharge de contrôle : E couronné avec deux grains de remède. Poinçon à l'usage des Gardes orfèvres : édit de juin 1705.

2 Décharge : une couronne avec un sceptre et une main de justice.

3 Jurande (lettre-date) : L couronné, utilisé du 1er août 1704 au 18 novembre 1705.

4 Charge : un A couronné.

5 Maître orfèvre parisien, Michel Delapierre (Mᵉ en 1702).

Poinçon du goûte-vin de Joseph Mailloux (fig. 179)

Le poinçon de maître orfèvre de Joseph Mailloux, copié sur les modèles français, est répété 2 fois. Il est accompagné de la marque du propriétaire, PC, que l'on appelle chiffre. Le point au centre est une marque de fabrication.

L'identification des poinçons

Quantité d'objets fabriqués ou réparés par les différents orfèvres

Objets

Anonyme	60
Ranvoyzé	25
France	14
Amiot	13
Nouvelle-France	9
Sasseville	6
Angleterre	1

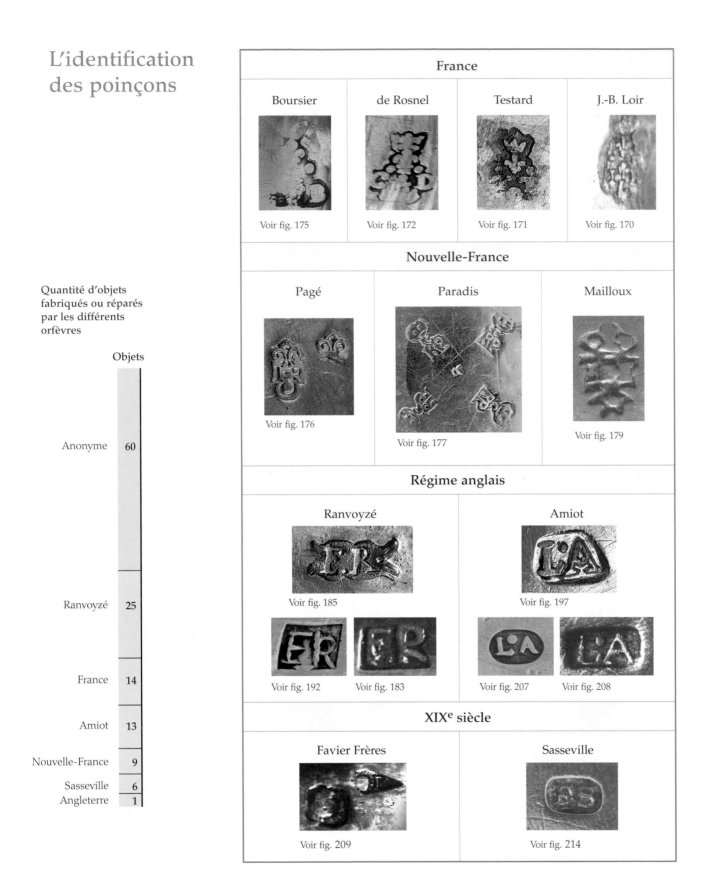

France

Boursier — Voir fig. 175

de Rosnel — Voir fig. 172

Testard — Voir fig. 171

J.-B. Loir — Voir fig. 170

Nouvelle-France

Pagé — Voir fig. 176

Paradis — Voir fig. 177

Mailloux — Voir fig. 179

Régime anglais

Ranvoyzé — Voir fig. 185

Voir fig. 192

Voir fig. 183

Amiot — Voir fig. 197

Voir fig. 207

Voir fig. 208

XIXᵉ siècle

Favier Frères — Voir fig. 209

Sasseville — Voir fig. 214

Les deux tiers des commandes d'orfèvrerie de la Côte-de-Beaupré ne sont connues que par les archives qui ne révèlent pas toujours les noms des orfèvres. Quant aux objets conservés, ils ne sont pas toujours attribuables à cause des poinçons absents, abîmés, détruits ou non identifiables. C'est ce qui explique que près de la moitié des œuvres documentées demeurent anonymes.

Les très prolifiques « Anonymes »

Sous le Régime français on trouve 7 références à des œuvres anonymes réparties de 1663 à 1753. Celle de Château-Richer (1748) concerne la « dentelle d'argent » évoquée ci-dessus. Les 6 autres se rapportent à Sainte-Anne-de-Beaupré : un encensoir (1663) ; « un bassin et une paire de burettes » (1685) ; et le très intéressant *Reliquaire de sainte Anne*. Celui-ci contenait la relique « donnée à Mgr de Laval par le chapitre de Carcassonne et exposée pour la première fois, le 12 mars 1670 ». Réparé en 1763, il fut remplacé par un autre reliquaire en 1877[207].

Plusieurs objets arrivent à Sainte-Anne-de-Beaupré en 1691 : « paye aux Religieuses de lhospital pour le port de six chandelier et quatre vases et une croix, de la Rochelle a Québec 10 0 ». Ils devaient être destinés au décor du maître-autel. On ne conserve ici que très peu d'orfèvrerie de ce port français et aucun orfèvre de la Nouvelle-France n'en provenait[208]. Ils pourraient avoir été fabriqués en argent haché s'ils provenaient de cette ville[209]. En 1753, la fabrique possédait une croix de procession puisqu'on déboursa 2 livres pour son « raccommodage ».

Pendant la première décennie du Régime anglais, les paroisses consolident leur patrimoine : surtout en faisant raccommoder divers objets[210], mais aussi par de petites acquisitions[211]. De 1771 à 1819, période d'activité de Ranvoyzé[212] et du début de la carrière d'Amiot, la fabrication de nouveaux objets explose à 19 références sur 23[213]. La création de nouvelles paroisses amène les anciennes à donner leurs « vieilleries » et à renouveler leurs vases sacrés. Durant cette période, Sainte-Anne-de-Beaupré se procure de nouveaux objets, dont plusieurs pour sa chapelle de Saint-Ferréol[214].

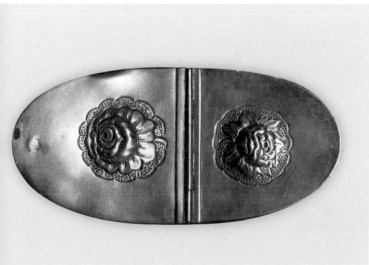

Ranvoyzé décède en 1819. Durant les 20 années subséquentes de la carrière d'Amiot, on ne trouve que six références à des objets anonymes[215]. Un autre argument pour dénoncer l'interprétation abusive de concurrence entre ces deux orfèvres rapportée par l'historiographie. Durant la période d'activité autonome de François Sasseville, 1839-1864, seules les paroisses de Saint-Joachim[216] et de Sainte-Anne-de Beaupré[217] font des acquisitions. Cette tradition se poursuivra au delà de cette période[218].

France
avant 1670
Reliquaire
Don de Mgr de Laval
Argent et verre,
18,5 x 11 x 7 cm
Sainte-Anne-de-Beaupré,
MSA

Voir 8
Anonyme, vers 1833
Instrument de paix
Argent, 10 x 6 cm
L'Ange-Gardien

168
Anonyme (attribué
à François Ranvoyzé
par Gérard Morisset)
Navette à la rose, non daté
H. 5,7 cm ; ovale 14 x 7 cm
Anciennement à
L'Ange-Gardien
(FGM, L'Ange-Gardien,
fiche 06691, photo A-12)

Les ancêtres français

Le plus ancien objet de la Côte-de-Beaupré est également le plus ancien conservé dans une paroisse au Québec. Il s'agit de l'ostensoir fabriqué en 1630-1631 par Nicolas Loir de Paris (Mᵉ 1616-1653) et conservé à Sainte-Anne-de-Beaupré (fig. 169). Sa datation[219] a été rendue possible par la collaboration d'une collègue française, Michèle Bimbenet-Privat, lors d'un voyage d'études au Québec. Sa lunule a été refaite à Paris par Poussielgue-Rusand Fils (poinçon insculpé en 1891, biffé en 1903). Les historiens de notre orfèvrerie ne se doutaient pas que le Québec pouvait posséder des objets aussi anciens ! L'ostensoir de Château-Richer (fig. 163), qui date de 1638-1639, le suit de peu dans la chronologie.

La famille Loir est représentée par de nombreuses pièces dans les collections québécoises. Cette dynastie d'orfèvres parisiens compte un peintre du roi, Nicolas Loir (1624-1679), et deux graveurs, Louis et Alexis. Tous trois sont les fils de Nicolas Loir, qui semble être à la tête d'un gros atelier dont l'activité débute en 1616. En 1653 il est élu garde[220] et on ne connaît pas la date de sa mort[221]. Ses œuvres conservées en France le montrent spécialiste du répertoire religieux.

Sainte-Anne-de-Beaupré possède un ciboire poinçonné de 1700-1701 par Jean-Baptiste Loir (Mᵉ 1689 † 1716). Les livres de comptes attestent qu'il a été payé 206 livres de monnaie de cartes en 1700. Petit-fils de Nicolas, Jean-Baptiste appartient encore au XVIIᵉ siècle. À sa mort, il laisse un important inventaire d'objets religieux[222]. Rien d'étonnant donc si 8 objets de son atelier se retrouvent au Québec. Ce sont des pièces à décor sobre, fait de frises de feuilles et de gros godrons très saillants, qu'on retrouve en France sur ses autres œuvres. On retrouve également le poinçon de Jean-Baptiste Loir sur un autre objet de la même paroisse, qu'il a réparé : la croix d'autel de Toussaint Testard (fig. 171).

169
Nicolas Loir,
France, Paris
(Mᵉ 1616-1653)
Poussielgue-Rusand Fils,
France, Paris
(poinçon insculpé en 1891,
biffé en 1903) [lunule]
Ostensoir, 1630-1631,
réparé en 1891-1903
H. 48 cm
Sainte-Anne-de-Beaupré

170
Jean-Baptiste Loir,
France, Paris
(Mᵉ 1689 † 1716)
Ciboire, 1700-1701
H. 28 cm
Sainte-Anne-de-Beaupré

Qui était ce Toussaint Testard ? Il n'est pas fils d'orfèvre ; il est devenu maître en 1682. Il vivait dans l'île de la Cité. Il meurt en 1716 et son inventaire après décès décrit bien sa maison. Bien que nous n'ayons conservé aucune œuvre civile de lui, l'inventaire prouve qu'il fabriquait aussi de la vaisselle d'argent[223]. Le reste était composé d'objets religieux[224]. Fait intéressant : le grand orfèvre Alexis Loir (Me 1670 † 15 avril 1713), dont on retrouve quelques objets en Nouvelle-France, figurait parmi ses créanciers « pour des ouvrages de ciselure ». Cela explique sans doute la très belle qualité de ciselure des œuvres de Testard. Cela explique aussi la présence de ses œuvres ici, par les nombreuses commandes données par les autorités religieuses de la Nouvelle-France à la dynastie des Loir sur plus d'un siècle.

Testard est l'auteur de la croix d'autel « DONNEE PAR MONSIEVR DYBERVILLE EN 1706 » à Sainte-Anne-de-Beaupré, dont on appréciera le fondu très plastique du Christ. Le poinçon de maison commune permet de dater précisément cet objet de 1703-1704. À cette époque, la santé de Pierre Le Moyne d'Iberville et d'Ardillières (1661-1706) était chancelante, des accès de fièvre le secouant « à plusieurs reprises de 1702 à 1705[225] ». On peut donc interpréter cette commandite comme un ex-voto propritiatoire ou surérogatoire[226]. Il avait d'ailleurs donné un magnifique tableau en 1696, un ex-voto gratulatoire (fig. 132).

171
Toussaint Testard,
France, Paris
(Me 1682-1716)
Jean-Baptiste Loir,
France, Paris,
(Me 1689 † 1716),
Croix d'autel, 1703-1704
H. 45 cm
Sainte-Anne-de-Beaupré

Le calice de Claude de Rosnel (Mᵉ 1656) à Sainte-Anne-de-Beaupré date de 1669-1670. Il a été commandité par Jean Dudouyt (vers 1628-1688), premier procureur du Séminaire de Québec, qui séjourna 14 ans au Québec, de 1662 à 1676, créant des liens d'appréciation réciproques avec la population locale. Les livres de comptes démontrent le rôle de Dudouyt dans l'acquisition de ce calice : cinq payements successifs en 1670, pour un total de 64 livres 14. Mais, trois ans plus tard, on doit déjà le faire réparer[227].

Rosnel s'est souvent associé à Nicolas Dolin (Mᵉ 1648 † 1695) qui avait été apprenti de Nicolas Loir en 1635. On retrouve les poinçons de Dolin et Rosnel sur certains éléments de la chapelle dite « d'Édouard Colbert de Villacerf » (1665-1666) conservée au trésor de la cathédrale de Troyes[228]. Cette chapelle est composée de douze pièces en argent blanc ; les poinçons de Dolin ne sont marqués que sur la patène et l'aiguière. Colbert de Villacerf était le cousin du grand Colbert, homme de pouvoir près de Louis XIV.

On trouve le poinçon de Nicolas Dolin sur le calice dont Louis XIV fit présent à Mᵍʳ de Laval en 1662-1663 et qui est conservé au Séminaire de Québec. La patène a toujours été associée au calice, mais ce n'est pas le cas des burettes. Ces quatre objets peuvent désormais être considérés comme faisant partie de la chapelle de Mᵍʳ de Laval. En effet, ils partagent des caractéristiques techniques, stylistiques et esthétiques de la chapelle de Colbert de Villacerf[229]. Ne nous étonnons donc pas de retrouver au Québec des objets de l'associé de Dolin, Claude de Rosnel. La filière va de Louis XIV à Mᵍʳ de Laval, grand mécène de la Côte-de-Beaupré, les Colbert par les orfèvres Dolin et Rosnel, et finalement Dudouyt. La connaissance de ces réseaux vient élucider la présence de certaines pièces sur cette Côte-de-Beaupré…

173
Nicolas Dolin,
France, Paris
(Mᵉ 1648 † 1695)
Calice, 1662 (vers)
Argent doré
H. 31,7 cm
MC, Collection du
Séminaire de Québec,
1991.806.1

172
Claude de Rosnel,
Paris (Mᵉ 1656), France
Calice, 1669-1670
Réparé en 1731 par
Jean-Baptiste Deschevery
dit Maisonbasse
(vers 1695-vers 1745)
H. 26 cm
Sainte-Anne-de-Beaupré

174
Attribué à Nicolas Dolin,
France, Paris
(Mᵉ 1648 † 1695)
Burettes, 1662 (vers)
MC, MAF

161

Claude Boursier (poinçon déclaré le 13 août 1647 - encore actif en 1698) a fabriqué en 1660-1661 le ciboire de Château-Richer. On conserve 8 œuvres de cet orfèvre au Québec. Elles étaient jusqu'ici attribuées à Claude Ballin[230]. Boursier est le fils d'un orfèvre parisien, Martin, et le neveu d'un autre orfèvre, Jacques Boursier. Il devient maître orfèvre et choisit son poinçon le 13 août 1647 : « CB et au milieu une grappe de raisin ». Il vivait dans l'île de la Cité, près de Notre-Dame, ce qui peut expliquer pourquoi son répertoire est essentiellement religieux. Il apparaît comme un artisan modeste : il épouse l'année de sa maîtrise la fille d'un maçon. On sait peu de chose sur sa carrière, seulement qu'il vivait encore en juin 1698 : il est alors condamné par la Cour des Monnaies de Paris parce qu'il ne tient pas ses registres d'achats et de ventes, ce qui est illégal. La production connue de Boursier est toujours religieuse, de belle qualité de ciselure.

L'ostensoir de Saint-Joachim illustre bien la complexité de l'identification des poinçons et des enjeux de la transformation des pièces d'orfèvrerie. Il est impossible de déterminer si l'objet fut d'abord fabriqué par Testard puis modifié par Delapierre en 1704-1705. Ou bien fabriqué par Delapierre en 1704-1705, puis modifié par Testard avant 1716. L'ostensoir est-il venu en Nouvelle-France pour retourner en France. Ces orfèvres auraient-ils plutôt travaillé en collaboration en 1704-1705, chacun fabriquant une partie différente ? Chose certaine, le pied fut ultérieurement refait par le premier orfèvre né en Nouvelle-France, Jacques Pagé dit Quercy[231], actif de 1708 à 1742. Au XVIIe siècle, l'ostensoir aurait dû être retourné en France pour subir une si importante réparation. L'énigme aurait-elle pu être résolue si on avait conservé les livres de comptes datant de cette période… ?

Poinçons de l'ostensoir

Sur la croix

Poinçons en usage dans la juridiction de Paris du 17 avril 1704 à novembre (?) 1712 : les gardes Étienne Baligny, Charles de la Haye, Florent Sollier et Jean Simonet.

1. Décharge de controle : E couronné avec deux grains de remède. Poinçon à l'usage des Gardes orfèvres : édit de juin 1705.

2. Décharge : une couronne avec un sceptre et une main de justice.

3. Jurande (lettre-date) : L couronné, utilisé du 1er août 1704 au 18 novembre 1705.

4. Charge : un A couronné.

5. Maître orfèvre parisien, Michel Delapierre (Me en 1702).

Sur la tige
(fig. 171)

Poinçon du maître orfèvre parisien Toussaint Testard (Me 1682-1716).

Sous la base

Poinçon du premier maître orfèvre né en Nouvelle-France : Jacques Pagé dit Quercy (1682-1742).

176

Toussaint Testard, France, Paris (Me 1682-1716) [tige et soleil] ; Michel Delapierre (Me 1702) [croix], Jacques Pagé dit Quercy (1682-1742) [pied]

Ostensoir, 1682-1716 [tige et soleil] ; 1704-1705 [croix] ; 1708-1742 [pied]

H. 49,5 cm
Saint-Joachim

Les orfèvres actifs en Nouvelle-France

La Côte-de-Beaupré ne conserve que peu d'objets de la soixantaine d'orfèvres actifs en Nouvelle-France. Les riches archives de Sainte-Anne-de-Beaupré fournissent quelques références inédites. La plus ancienne concerne un dénommé Maillou, un personnage non identifié, qui a « raccommodé les burettes » en 1706.

Michel Levasseur, originaire de France, fut le premier orfèvre véritablement actif en Nouvelle-France de 1700 à 1712. On ne conserve de lui qu'un seul objet connu, l'écuelle au poinçon LV du Monastère des Ursulines de Québec[232]. Il fut le maître de Jacques Pagé dit Quercy. Les archives de Sainte-Anne-de-Beaupré dévoilent un de ses travaux inédits en juin 1708 : « à Mr Levasseur L'orfeuvre pr des moules à chandelles 4 livres ». Une preuve de plus que les orfèvres de cette époque devaient être polyvalents[233].

Le calice de Rosnel, à Sainte-Anne-de-Beaupré, fut réparé en 1731 par Jean-Baptiste Deschevery dit Maisonbasse (vers 1695-vers 1745)[234]. Cette information inédite permet de comprendre pourquoi on pense à cet orfèvre en regardant le nœud de ce calice (fig. 172). En effet, on en retrouve la forme et le décor sur les quelques rares objets conservés de cet intéressant orfèvre originaire de Bayonne[235].

La piscine de Roland Paradis (vers 1696-1754) est un charmant petit objet, conservé à Sainte-Anne-de-Beaupré, qu'aucun document ne permet cependant de dater précisément. Fils d'un orfèvre parisien, Paradis fut actif à Québec et Montréal de 1728 à 1754[236].

177
Roland Paradis
(vers 1696-1754)
Piscine, 1728-1754
H. 3 cm ; D. 8,7 cm
Sainte-Anne-de-Beaupré

Joseph Mailloux (1708-1794) apprit son métier auprès de Paul Lambert dit Saint-Paul. Sa carrière ne prit son essor qu'après le décès du maître en 1749. Il fut actif beaucoup plus longtemps sous le Régime anglais. Le style et le gabarit de son goûte-vin conservé à L'Ange-Gardien suggèrent une fabrication tardive, tout comme l'autre goûte-vin anonyme également conservé dans cette paroisse. Ce type d'objet domestique, utilisé pour goûter le vin, ne peut pas être assimilé à une « tasse à quêter » tel que le soutenait Gérard Morisset[237]. Ce spécimen présente un magnifique travail de martelage avec l'anse et la coquille d'origine.

Les archives de Sainte-Anne-de-Beaupré permettent encore une fois de documenter deux œuvres inconnues de Paul Lambert dit Saint-Paul (1691-1749) : « 1732. faire refaire le boitier aux S. Huiles, faire une petit bœtier à porter le Bon Dieu aux malades, tant pour la fourniture de la matière que pour façon payé au Sr St Paul orpheure cy 45 livres 2. » En outre, notons l'influence de Lambert sur la navette de Ranvoyzé à Château-Richer par l'imitation très poussée du style très caractéristique de ses motifs décoratifs.

L'âge d'or
des grands maîtres :
Ranvoyzé et Amiot

L a période qui va de 1771 à 1839 est profondément marquée par l'œuvre des deux très grands orfèvres François Ranvoyzé (1739-1819) et Laurent Amiot (1764-1839). Tous deux établis à Québec, ils desservent principalement le culte catholique mais aussi le marché domestique. Ils illustrent deux styles antinomiques : l'homme d'Ancien Régime formé par un orfèvre français établi en Nouvelle-France ; l'homme nouveau, formé en France, qui apporte le néoclassicisme. Ranvoyzé est un artisan qui travaille seul toute sa vie ; Amiot est un homme d'affaires qui entre de plain-pied dans l'ère proto-industrielle en établissant un atelier et des modèles qui lui survivront plus d'un siècle. Le premier réparait les objets anciens auxquels il ajoutait sa touche ; le second fondait les orfèvreries anciennes afin de procurer aux fabriques des ensembles neufs d'un style homogène. Il n'est pas surprenant que la Côte-de-Beaupré se soit approvisionnée chez ces deux orfèvres solidement implantés à Québec. Il n'était pas question de commander à Montréal, trop influencée par les pratiques anglo-saxonnes et davantage tournée vers la très lucrative orfèvrerie de traite sous la houlette de la Compagnie du Nord-Ouest[238]...

Le mythe de la rivalité Ranvoyzé-Amiot

Ranvoyzé a laissé 25 objets sur la Côte-de-Beaupré, Amiot 13 ; donc deux fois plus en faveur de Ranvoyzé. La répartition des œuvres entre les paroisses est particulièrement significative. La popularité de Ranvoyzé ne se dément pas, car pour chacune des 4 paroisses il vend entre 5 et 7 œuvres. La situation est tout à fait inverse pour Amiot : il vend 10 objets à Saint-Joachim et un seul à chacune des trois autres fabriques ! Ranvoyzé domine le marché de trois paroisses, alors qu'Amiot ne prévaut qu'à Saint-Joachim.

	Répartition des œuvres		
Paroisses	Ranvoyzé	Amiot	
Château-Richer	7	1	8
L'Ange-Gardien	5	1	6
Saint-Joachim	6	10	16
Sainte-Anne-de-Beaupré	7	1	8
Total	25	13	38

Il est tentant d'assimiler le marché de Château-Richer, L'Ange-Gardien et Sainte-Anne-de-Beaupré à la situation normale des ventes à cette époque. Par contre, Saint-Joachim est en grande campagne de décoration. Et quelle campagne ! Grâce au legs de Jean-Baptiste Corbin (1741-1811), curé de Saint-Joachim de 1769 à 1811, l'abbé Jérôme Demers (1774-1853), jeune professeur d'architecture au Séminaire, et François Baillairgé (1759-1830) se servent de cette paroisse comme un enjeu de décor religieux : ils y implantent systématiquement le nouveau style néoclassique en opposition directe au style baroque d'Ancien Régime.

Baillairgé (1778-1781) et Amiot (1782-1788) sont tous deux allés se perfectionner en France sous la houlette du Séminaire de Québec. Ils se connaissent, entretiennent des liens d'amitiés et collaborent, tel que le démontre le *Journal de François Baillairgé 1784-1800*. La première enseigne identifiant le nouveau commerce d'Amiot est sculptée par Baillairgé en mai 1789, qui assiste à son mariage en 1793. En plus de ces relations amicales, le sculpteur travaille régulièrement pour l'orfèvre, lui livrant de 1789 à 1800 les éléments sculptés en bois et les modèles des appendices (à être coulés en argent) de plusieurs objets religieux et civils[239]. Cette collaboration explique la très grande qualité de plusieurs œuvres de début de carrière. Fréquent en Europe et aux États-Unis, ce genre de collaboration demeure ici mal documenté.

Ces données de la Côte-de-Beaupré bousculent une historiographie abondante prônant une « rivalité » entre ces deux grands orfèvres[240]. Ces interprétations sont basées sur une tradition orale qui date de la fin du XIXe siècle et du début du XXe. Rapportées par différents auteurs, les interprétations varient considérablement de l'une à l'autre, ce qui entache leur crédibilité[241]. Pourtant, elles ont toutes les mêmes sources, les derniers des successeurs de l'atelier d'Amiot ou leurs apprentis, qui furent dans l'ordre : François Sasseville (1797-1864), Pierre Lespérance (1819-1882) et Ambroise Lafrance (1847-1905). Ce récit est donc partiel et partial, car il ne vient que du seul côté d'Amiot. Donc possiblement un discours de type « propagande revancharde »…

Chronologie des œuvres

	Ranvoyzé	Amiot
non datées	5	2
1771-1779	4	-
1780-1789	7	1
1790-1799	2	1
1800-1809	0	2
1810-1819	7	0
1820-1829	-	1
1830-1839	-	6
Total	25	13

La répartition chronologique de leurs œuvres sur la Côte-de-Beaupré ouvre une autre fenêtre d'interprétation. La clientèle de Ranvoyzé croît dans les années 1780, décroît, puis remonte dans la décennie 1810-1819. Amiot lui aurait-il soufflé la commande de 2 objets dans la décennie 1800-1809, pour ensuite en perdre 7 dans la décennie 1810-1819 ? Chose certaine, Amiot reçoit près de la moitié de ses commandes en fin de carrière, bien après le décès de Ranvoyzé… !

François Ranvoyzé, actif de 1771 à 1819

La vie, la carrière et l'œuvre de François Ranvoyzé sont immenses. Les problématiques sont à la mesure du personnage. Sa faconde et son style humain, ouvert, baroque, polymorphe, en font l'un des orfèvres les plus polyvalents, prolifiques, personnels et intéressants. Au niveau esthétique, seul le peu connu Salomon Marion[242] arrive à égaler la qualité de son œuvre, mais non pas la quantité. Il n'est donc pas étonnant que Ranvoyzé domine le marché de la Côte-de-Beaupré avec le quart de la production documentée. Il est tout à fait normal de retrouver un calice et un ciboire dans chacune des quatre paroisses. Ces vases sont essentiels à l'Eucharistie.

181
François Ranvoyzé
(1739-1819)
Ciboire, 1771-1819
H. 26,1 cm
Château-Richer,
en dépôt au MC
(1993.53882)

168

182
François Ranvoyzé
(1739-1819)
Encensoir, 1783
H. 27 cm
L'Ange-Gardien

183
François Ranvoyzé
(1739-1819)
Calice, 1784
H. 26,2 cm
L'Ange-Gardien

Le ciboire de Château-Richer (fig. 181) est un pur chef-d'œuvre du style baroque caractéristique de Ranvoyzé ; il surpasse celui du même style commandé en 1782 par Saint-Roch-des-Aulnaies.

L'encensoir (1777), les burettes (1781) et le calice (1781) de Château-Richer n'ont pas été conservés. Par contre, l'encensoir et le calice de L'Ange-Gardien démontrent la maîtrise de l'orfèvre en 1783-1784 ; alors que le ciboire de 1814 (fig. 166) marque un retour, en fin de carrière, aux anciennes formules du Régime français.

184
François Ranvoyzé
(1739-1819)
Piscine, 1771-1819
H. 3,2 cm ; D. 8,6 cm
Château-Richer,
en dépôt au MC
(1993.53884)

La piscine de Château-Richer est un mignon petit objet au décor simple, naïf, mais savoureux. Celle de L'Ange-Gardien dort peut-être, paisiblement non identifiée, dans l'une ou l'autre de nos collections privées ou publiques. Désignée comme « tasse d'argent à purifier les doits » lors de son acquisition en 1791, elle est inventoriée en août 1939 par Gérard Morisset qui constate sa disparition deux ans plus tard… ! À moins qu'il ne s'agisse d'une erreur de classement dans la documentation de son *Inventaire des œuvres d'art*[243] ?

Les 6 œuvres de Ranvoyzé à Saint-Joachim datent de la seconde moitié de sa carrière et sont toutes plus sévères, moins baroques et plus géométriques, ce qui semble corroborer l'analyse effectuée ci-dessus au sujet du style néoclassique. Le calice (1788) copie celui de Guillaume Loir, fabriqué en 1749 et conservé à l'église Notre-Dame de Québec. Ce modèle, très prisé, a influencé plusieurs rejetons chez Ranvoyzé, mais aussi chez plusieurs autres orfèvres tels que Michæl Arnoldi, Robert Cruickshank et Laurent Amiot[244]. On ne peut donc y voir une influence d'Amiot ! Son boîtier aux saintes huiles de 1815, orné uniquement de perlons, a remplacé celui de fer-blanc acquis en 1793 pour contenir les ampoules de Laurent Amiot (fig. 201) ; ses ampoules à Château-Richer (fig. 162) et à L'Ange-Gardien (fig. 164) ne possèdent pas de tel boîtier.

185
François Ranvoyzé
(1739-1819)
Calice, 1788
H. 27,5 cm
Saint-Joachim

186
François Ranvoyzé
(1739-1819)
Boîtier aux saintes huiles,
1815
H. 6,5 cm ; L. 10 cm
Saint-Joachim

Le bénitier (1811), œuvre de fin de carrière, témoigne de l'influence tardive du style d'Amiot. Le ciboire (1815), feignant de se plier à la géométrie du néoclassisme, puise ses sources aux décors de l'orfèvrerie française importée en Nouvelle-France. Le plat (fig. 205) de Ranvoyzé n'est pas daté, alors que les anciennes burettes de la fabrique auront été refondues par Amiot en 1837. La savoureuse « tasse d'argent » (fig. 189), telle que décrite dans les livres de comptes, a été acquise de Ranvoyzé en 1813 au prix de 96 livres. Le métal précieux a été contraint d'imiter la vannerie avec ses ajours, geste non anodin quant à la morphologie, à la fonction et au style. Morisset assimilait, avec circonspection toutefois, ce type d'objet à une tasse à quêter[245] ! Les dimensions ne se prêtent vraiment pas à ce type d'usage. Parlons plutôt d'un « plat en forme de corbeille » à usages et fonctions multiples : soit pour les besoins liturgiques (burettes, baptêmes, mariages, cendres, alliances, pains bénits, etc.) ou les besoins domestiques, au presbytère, à titre de corbeille de table, de service ou de décor (pain, fruits, bonbons, porte-huilier, etc.).

Des 7 objets de Ranvoyzé à Sainte-Anne-de-Beaupré,
1 n'est pas daté, 2 représentent les années 1770,
2 les années 1780 et 2 autres les années 1810. Le plat
non daté (fig. 190), identifié à une « tasse à quêter »
par Morisset, partage plusieurs caractéristiques de
celui de Saint-Joachim. Le calice et la patène, acquis
en 1774, n'ont pas encore été retrouvés. Même si le
tout petit ciboire (1777-1779) sans couvercle ne porte
pas de poinçon, on y reconnaît les décors floraux
(repoussés et ciselures) caractéristiques de la période
baroque de Ranvoyzé ; c'est probablement cet objet
que l'inventaire de 1844 désignait en tant que
« petit ciboire d'argent pour le Saint Viatique ».

L'encensoir, pour lequel on relève un payement en 1781, présente un style
archaïque dans les motifs décoratifs sur la panse : une imitation de l'esthétique du
ciboire de son maître, Ignace-François Delezenne, fabriqué pour la paroisse de
Saint-Nicolas vers 1769[246]. Le pied et la cheminée de cet encensoir ont été modifiés :
ces objets fragilisés par leurs nombreux ajours, chauffés par les charbons,
balancés au bout de leurs chaînes, ont très souvent dû être « raccommodés ».
Il en va de même pour les navettes souvent échappées par les thuriféraires :
le pied de celle de Ranvoyzé à Château-Richer (fig. 180) a été refait de façon
grossière vers 1900. Ranvoyzé était souvent appelé, comme la plupart de ses
collègues, à réparer des orfèvreries anciennes : au lieu de les fondre, il pouvait
les modifier considérablement, créer de nouvelles parties ou de nouveaux
décors et y ajouter son poinçon. Ce processus a été utilisé dans le cas
de l'ostensoir de Sainte-Gertrude de Nicolet et du calice de Saint-
Charles-de-Bellechasse où Ranvoyzé a, de plus, insculpé son poinçon
par-dessus celui de Lambert[247].

191
François Ranvoyzé
(1739-1819)
Ciboire, 1777-1779
H. 10 cm
Sainte-Anne-de-Beaupré

192
François Ranvoyzé
(1739-1819)
Encensoir, 1781
H. 26 cm
Sainte-Anne-de-Beaupré

On a déjà bien mis en valeur les dévotions et rituels, aujour-
d'hui désuets, rattachés à l'instrument de paix[248]. Celui de
Sainte-Anne-de-Beaupré, bien qu'il date de 1788, présente
une iconographie naïve et primitive. Peut-être s'agit-il
d'une expérience, assez maladroite, de fonte à cire perdue ?
On est très loin du modèle sophistiqué que lui avait transmis son maître Ignace-François Delezenne[249] !

193
François Ranvoyzé
(1739-1819)
Instrument de paix,
1788
H. 10 cm
Sainte-Anne-de-Beaupré

172

194
François Ranvoyzé
(1739-1819)
Croix de procession, 1814
H. 80 cm
Sainte-Anne-de-Beaupré

À la toute fin de sa vie, âgé de 74 et 75 ans, Ranvoyzé fabrique encore deux objets imposants pour Sainte-Anne-de-Beaupré. Sa lampe de sanctuaire (1813), bien qu'elle imite les guirlandes de feuilles de laurier mises à la mode par Amiot, possède encore la saveur archaïque du repoussé inégal et vibrant du baroque. L'orfèvre avait de quoi être fier de ses réalisations : c'est sans doute ce qui l'a poussé à signer, en plus de son poinçon, son nom en toutes lettres sur sa croix de procession de 1814. Elle présente une curieuse hybridation entre la force de la tradition d'Ancien Régime et le nouveau style Empire.

195
François Ranvoyzé
(1739-1819)
Lampe du sanctuaire, 1813
H. 30 cm
Sainte-Anne-de-Beaupré

173

Laurent Amiot, actif de 1788 à 1839

L aurent Amiot[250] a séjourné à Paris de 1782 à 1788 où il fut envoyé par son père et où il a appris son métier d'orfèvre. Cette initiative, dictée par le soi-disant refus de Ranvoyzé de le prendre comme apprenti (d'après une tradition orale douteuse), est tout à fait similiaire à l'exemple de François Baillairgé qui effectua un séjour d'études, en peinture et sculpture, d'environ 3 ans à Paris, soit de 1778 à 1781. Tout comme ce dernier, Amiot jouit de la protection du Séminaire, son stage étant placé sous la responsabilité des mêmes administrateurs, soit messieurs Thomas-Laurent Bédard et Henri-François Gravé de La Rive, supérieurs et procureurs à Québec, et de François

Sorbier de Villars, délégué pour les affaires du Québec à Paris ainsi que procureur du Séminaire de Paris[251]. La traversée s'effectue d'ailleurs avec un autre prêtre de cette institution, Arnauld-Germain Dudevant. Les lettres de Villars en 1783, 1785 et 1787 nous informent sur le séjour d'Amiot à Paris.

Il est connu que Villars avait fait travailler Baillairgé chez le sculpteur Jean-Baptiste Stouf. Par contre, aucune indication n'a été publiée sur le maître orfèvre où Amiot a été mis en apprentissage. Les archives du Séminaire à Paris indiquent des payements à Stouf comme sculpteur. Il est donc normal de penser que le fournisseur attitré en orfèvrerie de cette institution pourrait avoir accueilli Amiot en apprentissage. En effet, on retrouve dans les archives du Séminaire de Paris des mentions de payement à un orfèvre Porcher. Des membres de cette dynastie d'orfèvres avaient déjà vendu des objets somptuaires en Nouvelle-France[252]. Le néo-classicisme de leur production[253], à la fin du XVIIIe siècle, correspond tout à fait au style qu'Amiot mettra en valeur à son retour. Il pourrait donc avoir travaillé chez l'un ou l'autre des membres de cette famille : Jean (actif 1759-1791), Louis-Claude (actif 1762-1791) ou Pierre-Marin (actif 1757-1786)[254].

196
Attribué à Laurent Amiot
(1764-1839)
Lampe du sanctuaire, 1787-1839
H. 33 cm ; D. 35 cm
Saint-Joachim

174

Amiot a prolongé son séjour et n'est revenu à Québec qu'en 1788. Il déclarera, en 1791, avoir travaillé six ans comme orfèvre à Paris[255]. Ses premières commandes d'orfèvrerie religieuse datent d'ailleurs de 1788 et proviennent des paroisses de Deschaillons, Saint-Joachim et Repentigny. C'est donc fraîchement débarqué qu'Amiot fabrique l'encensoir et la navette de Saint-Joachim. Il n'est donc pas étonnant qu'il considère ces œuvres comme un défi et un test, une sorte de « chef-d'œuvre » qui démontrera la supériorité de son art tel qu'appris en métropole ! Cet encensoir est donc tout à fait exceptionnel, tant par sa valeur historique et esthétique que par son poinçon. En effet, il s'agit là d'un poinçon unique, par la forme de son trapèze que l'on n'a encore retrouvé sur aucune autre œuvre. À l'évidence, la magnifique navette, même si elle n'est pas poinçonnée, fait partie de la même commande. La lampe du sanctuaire, plus tardive mais non datée précisément, se situe à mi-chemin entre la belle production de début de carrière et la standardisation de fin de carrière ; l'utilisation de motifs et de gabarits de style Empire (bande plate avec des flots) semble corroborer cette interprétation.

197
Laurent Amiot
(1764-1839)
Encensoir et navette, 1788
Encensoir H. 24,5 cm.
Navette H. 8,5 cm ;
L. 15 cm
Saint-Joachim

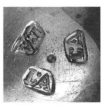

Poinçon
fig. 197

175

À la signature du contrat d'apprentissage de Pierre Lespérance, le 20 juin 1836, Amiot a fait rayer par le notaire le mot « boutique » pour le faire remplacer par le mot « attelier ». Amiot fut le premier à faire cette distinction dans sa discipline. Cela semble donc indiquer une nette séparation entre le lieu de fabrication et le lieu de vente (voir p. 177). Amiot fait également supprimer le mot « métier » d'orfèvre pour le faire remplacer par « art » d'orfèvrerie. Il est également le seul de toute la profession à s'être fait appeler « maître ès art d'orphevrerie » durant la période qui va de 1816 à 1835[256]. Le fait qu'il ait été le seul orfèvre québécois de naissance à avoir obtenu sa formation à Paris, entre 1782 et 1788, n'est sûrement pas étranger à sa propension de se prévaloir de cette appellation ronflante[257]. Donc, malgré ses prétentions « artistiques », Amiot est avant tout un homme d'affaires qui déploie tous les moyens pour faire fortune, tel que le démontre la rationalisation de toute sa production pour en faire une orfèvrerie sérielle proto-industrielle. Il a également subordonné la préservation du patrimoine à ses ambitions, en fondant les pièces anciennes de plusieurs fabriques afin de les remplacer par des ensembles « pur » Amiot.

La présence de Laurent Amiot sur la Côte-de-Beaupré est concentrée à Saint-Joachim pour 10 de ses 13 objets. Les trois autres paroisses ont acquis un bénitier (Château-Richer 1788-1839, L'Ange-Gardien 1833 et Sainte-Anne-de-Beaupré 1835), tous trois sur le même modèle, répétitif et ennuyeux, que l'on retrouve dans un très grand nombre de paroisses des environs de Québec et en nombreux exemplaires dans nos musées. C'est là le lot d'une très grande partie de la production proto-industrielle de cet atelier d'orfèvre.

198
Laurent Amiot (1764-1839)
Bénitier et goupillon, 1787-1839
Bénitier : H. 18 cm
Goupillon : L. 19 cm
Château-Richer,
en dépôt au MC
(1993.53863.1)
(1993.53863.2)

Chronologie des œuvres de Laurent Amiot

Dates	Objets	Paroisses
1787-1839	Bénitier et goupillon	Château-Richer
1787-1839	Lampe du sanctuaire	Saint-Joachim
1788	Encensoir et navette	Saint-Joachim
1793-1794	Ampoules aux saintes huiles	Saint-Joachim
1805 ou 1882-1905	Aiguière baptismale (A. Lafrance ?)	Saint-Joachim
1805	Louche	Saint-Joachim
1828	Piscine	Saint-Joachim
1833	Bénitier et goupillon	L'Ange-Gardien
1833	Calice	Saint-Joachim
1833	Ciboire	Saint-Joachim
1835	Bénitier	Sainte-Anne-de-Beaupré
1836	Porte-dieu	Saint-Joachim
1837	Burettes	Saint-Joachim

199 a
Laurent Amiot
(1764-1839)
Bénitier, 1835
H. 20,5 cm
Sainte-Anne-de-Beaupré

199 b
Anonyme
Goupillon, 1834
Sainte-Anne-de-Beaupré

200
Laurent Amiot
(1764-1839)
Bénitier, 1833
H. 19,1 cm
L'Ange-Gardien

201
Laurent Amiot (1764-1839)
Ampoules aux saintes huiles, 1793
H. 5,6 cm et 4,1 cm
Saint-Joachim

202
Laurent Amiot (1764-1839)
Piscine, 1828
H. 3 cm ; L. 10,5 cm
Saint-Joachim

Il en va de même pour la majorité des objets de Saint-Joachim[258] : ampoules aux saintes huiles (1793), louche (1805), piscine (1828), calice (1833), ciboire (1833), burettes (1837). Ces objets qui sont tous sans décor, lisses, simples, d'une facture correcte, demeurent des objets sériels sans caractéristiques esthétiques particulières autres que la simplicité et la nudité du décor dans des gabarits standards.

203
Laurent Amiot
(1764-1839)
Louche, 1805
L. 24 cm
Saint-Joachim

204
Laurent Amiot
(1764-1839)
Burettes, 1837
H. 14 cm
Saint-Joachim

205
François Ranvoyzé
(1739-1819)
Plat, 1771-1819
29 x 17,5 cm
Saint-Joachim

L'aiguière baptismale de Saint-Joachim[258] présente une forme différente de celles qui sont habituellement produites par Amiot et Sasseville (fig. 211 et 212). L'attribution des objets portant ce poinçon « L.A » pose souvent problème puisqu'il a également été utilisé par l'un des successeurs de cet atelier, Ambroise Lafrance (1847-1905), aux mêmes initiales mais inversées… ! C'est à la fois la force d'Amiot d'avoir créé un style qui lui a survécu jusqu'au début du XXᵉ siècle, mais aussi sa faiblesse, car ce style engendra la monotonie avec ses objets souvent répétitifs et ennuyeux…

Sasseville face à l'industrialisation

L'orfèvrerie française a continué à marquer nos paysages décoratifs même après la perte de la Nouvelle-France. Au XIXᵉ siècle, plusieurs grandes maisons de Paris et de Lyon devinrent des fournisseurs réguliers du clergé québécois. L'encensoir et la navette de L'Ange-Gardien sont des exemples, de très belle qualité, de cette orfèvrerie industrielle. Ils furent fabriqués par la grande maison Favier Frères (1824-1976) de Lyon[259], alors que la cuiller à encens (peut-être acquise en 1835[260]) porte le poinçon non identifié d'un orfèvre français aux initiales JD[261].

209
Favier Frères (1824-1976),
Lyon, France
Encensoir et navette,
1824-1976
Encensoir : H. 28,5 cm
Navette : H. 15,5 cm ; L. 17 cm
L'Ange-Gardien

Un détail d'une photo ancienne montre l'anse aujourd'hui disparue…

Dans sa publicité, François Sasseville critiquait ces pièces industrielles européennes, leur opposant les qualités artisanales de son œuvre « massive, durable et consciencieuse[262] ». Et pourtant, Sasseville mit à la mode des objets ornés de médaillons qu'il coulait sur des moules fabriqués en Europe[263] ! Son calice de L'Ange-Gardien (1852) illustre parfaitement ce type de décor. On ne peut juger du style d'un autre calice, non retrouvé, que Sasseville a fabriqué pour Sainte-Anne-de-Beaupré en remplacement d'un ancien calice revendu pour les missions, qui, lui non plus, n'a pas été retracé[264].

210
François Sasseville
(1797-1864)
Calice, 1852
H. 28,3 cm
L'Ange-Gardien

Les médaillons
illustrent :
L'Espérance
L'Ecce Homo
La Charité

211
François Sasseville
(1797-1864)
Aiguière baptismale,
1839-1864
H. 4,1 cm ; L. 13,1 cm ;
l. 6,3 cm
Château-Richer,
en dépôt au MC (1993.53885)

212
Angleterre
Aiguière baptismale, 1845
H. 2,4 cm ; L. 13,3 cm ;
l. 6,7 cm
Anciennement à L'Ange-Gardien
(FGM, L'Ange-Gardien,
fiche 06695, photo B-5)

L'aiguière baptismale de Château-Richer illustre l'influence britannique par le passage d'une forme civile à un objet religieux. On y retrouve la copie servile d'une saucière de table, telle qu'apprise de son maître Laurent Amiot qui en avait pris le modèle sur les saucières britanniques, par exemple celle qui est poinçonnée en 1845 et photographiée par Gérard Morisset à L'Ange-Gardien (fig. 212). Les burettes de Sasseville à L'Ange-Gardien, payées en 1852, sont encore une fois une copie servile de celles d'Amiot (fig. 204).

213
François Sasseville
(1797-1864)
Burettes, 1852
H. 13 cm
L'Ange-Gardien

214
François Sasseville
(1797-1864)
Tasse, 1839-1864
H. 8 cm ; D. 7,3 cm
Sainte-Anne-de-Beaupré,
[Inventaire des biens
culturels, photo 73.077 (22)]

Tout comme ses collègues, Sasseville effectuait les réparations rendues nécessaires par l'usure des objets liturgiques[265]. Ce qui ne cessera pas avec lui, car au XXᵉ siècle les orfèvres continuèrent à réparer et à modifier les objets anciens[266]. Ce qui complique souvent le travail des historiens de l'art puisque certains se sont laissé berner par ces altérations…

Poinçon
fig. 214

Ateliers et outils d'orfèvres au Québec

L'atelier c'est avant tout un maître qui travaille avec des apprentis, compagnons, engagés ou associés, entre lesquels les liens interfamiliaux ou d'amitiés occupent une place importante. Les pratiques de ce système d'apprentissage en colonie calquaient de près celles des métropoles française et anglaise, mais dans une structure non réglementée.

Sous le Régime anglais, l'activité de l'orfèvrerie s'organisa de plus en plus autour de la mise en marché, afin d'écouler les produits britanniques distribués à travers le monde par un puissant réseau de marchands orfèvres. Avec la venue de l'imprimé, on commença à publier des annonces dans les journaux.

Les locaux servant d'ateliers étaient des plus variés sous le Régime français : une salle prêtée à l'orfèvre dans la maison du client, ou bien chez un aubergiste, mais le plus souvent dans diverses pièces de la maison même de l'orfèvre. Le besoin d'un lieu de vente distinct du lieu de fabrication s'implante progressivement à la fin du XVIIIe siècle. La seule réglementation connue concernant l'aménagement des ateliers date de 1795. Elle porte sur la prévention des incendies pour les corps de métiers faisant l'utilisation d'une forge.

Il n'y avait pas de fabricants d'outils sur le territoire. En conséquence, ils devaient être apportés par les maîtres orfèvres venus s'établir ici ou importés de France, puis d'Angleterre, par des commandes spéciales. Les États-Unis devinrent un fournisseur de plus en plus fréquent après leur indépendance.

La collection de 131 outils d'orfèvres du Musée des maîtres et artisans du Québec, dont les spécimens datent des XVIIIe et XIXe siècles, en contient 47 % de fabrication artisanale, 42 % industrielle et 11 % d'origine inconnue.

Les outils artisanaux ont pu être fabriqués ou modifiés par les orfèvres eux-mêmes, ou par d'autres artisans. La plupart des transactions d'outils s'effectuaient au décès des orfèvres.

En comparant les outils québécois du XVIIIe siècle à ceux de l'*Encyclopédie* de Diderot et d'Alembert, ou aux traités d'orfèvrerie, on peut affirmer qu'il n'existe pas de différences notables dans la composition de base de l'outillage, quoique la quantité et la variété des outils québécois soient plus restreintes. Les orfèvres québécois avaient donc à leur disposition tous les outils nécessaires aux techniques de fonte, martelage, assemblage, ornementation et polissage, ainsi que quelques machines-outils tels que banc à tirer, laminoir, presse et machine à couper.

L'arrivée de l'argenture électrochimique, après 1836-1837, amorce l'ère industrielle de l'orfèvrerie. Très peu d'artisans demeurèrent producteurs tels que Sasseville. La majorité adoptèrent le statut d'ouvrier salarié en usine.

215
Atelier de l'orfèvre grossier, planche tirée de l'*Encyclopédie* de Diderot et d'Alembert, XVIIIe siècle.

Le Centre de conservation du Québec

et le trésor de la Côte-de-Beaupré

Des restaurateurs de l'atelier des peintures complètent le traitement de trois ex-voto du Musée de sainte Anne, par des retouches de couleurs.

La région de la Côte-de-Beaupré doit beaucoup au Centre de conservation du Québec (CCQ) pour la restauration de son patrimoine religieux, ainsi que pour la mise en valeur et l'avancement des connaissances de cet important héritage collectif. Par exemple, les restaurateurs du CCQ ont participé dès le début aux travaux d'aménagement du nouveau Musée de sainte Anne. Ils ont permis de redonner vie et âme aux œuvres d'art et aux objets de la collection du musée, dont les ex-voto et plusieurs autres tableaux importants, l'ancien maître-autel et les autels latéraux, la statue de saint Jean, l'orfèvrerie, etc. En outre, le tableau du maître-autel de L'Ange-Gardien et les statues représentant l'*Archange Gabriel* et *Saint Michel terrassant le dragon* comptent parmi les restaurations notables du CCQ depuis sa création et font la fierté du Musée national des beaux-arts du Québec.

Fondé en 1979, le Centre de conservation du Québec, un des fleurons du ministère de la Culture et des Communications, a pour mission de préserver et de mettre en valeur le patrimoine mobilier et artistique du Québec. Répartis dans sept ateliers spécialisés (Archéologie et ethnologie, Métaux, Meubles, Œuvres sur papier, Peintures, Sculptures et Textiles), ses spécialistes offrent des services de qualité qui lui amènent une vaste clientèle, dont des musées, des fabriques d'églises, des municipalités, des universités, des communautés religieuses, des entreprises privées, des archivistes et des artistes visuels.

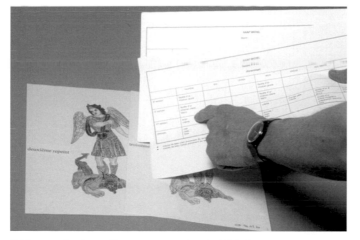

Tableaux et dessins expliquent comment le saint Michel provenant de l'église de L'Ange-Gardien a changé d'aspect avec le temps.

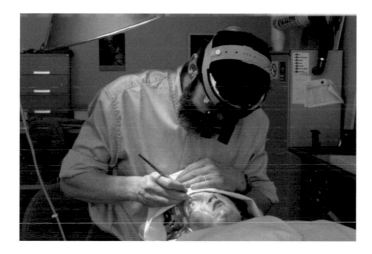

Avant tout traitement, le restaurateur prépare un dossier complet sur l'œuvre en question : matériaux, aspect original, changements apportés et dommages survenus. Il fait appel à des techniques pointues d'analyse. Il consulte, et souvent complète, les données historiques. Par la suite, l'équipe de restaurateurs entreprend le retrait des « surpeints », un travail de longue haleine.

Le Centre de conservation du Québec est également engagé dans la préservation et l'avancement des connaissances sur les églises, entre autres celle de Saint-Joachim, de même que dans la restauration de monuments funéraires, en particulier au cimetière de Château-Richer. Claude Payer, restaurateur de sculptures au CCQ, poursuit d'ailleurs, parallèlement à ses travaux de restauration, une recherche pointue sur le mobilier religieux, dont celui de la Côte-de-Beaupré.

Les travaux du CCQ, toujours bien documentés, souvent spectaculaires, permettent de jeter un regard neuf sur des œuvres pourtant connues et de leur offrir une seconde existence.

185

Conclusion

Le trésor de la Côte-de-Beaupré se distingue de celui de toute autre région du Québec, notamment par son ancienneté, sa richesse et son exclusivité. Plus ancien parce qu'il est détenu par quatre paroisses fondées avant 1685, parmi les premières au Québec, et qu'il inclut des pièces de cette lointaine époque. Plus riche, parce qu'une large part des premières acquisitions sont offertes par Mgr de Laval, évêque et seigneur de Beaupré, qui accorde une grande importance aux églises et leur procure des objets précieux pour le culte. Par tradition, le Séminaire de Québec maintiendra ce goût du raffinement sur la Côte-de-Beaupré. Plus exclusif, parce qu'un grand nombre d'œuvres proviennent d'ateliers d'artistes et d'artisans choisis parmi les meilleurs. À preuve les retables et les tabernacles réalisés pour les églises de L'Ange-Gardien, de Sainte-Anne-de-Beaupré et de Saint-Joachim, qui atteignent des sommets de l'art au Québec. Pour l'orfèvrerie, les pièces d'importation européenne et les pièces des maîtres québécois sont encore nombreuses et remarquables. Quant aux œuvres peintes, elles se distinguent davantage par leur éclectisme : tableaux européens, toiles du frère Luc, copies s'inspirant des grands styles, ex-voto aux scènes allégoriques.

En plus de sa valeur intrinsèque, le trésor de la Côte-de-Beaupré possède une valeur ajoutée qui tient à trois caractéristiques. D'abord, une valeur ethnologique nourrie par plus de 200 ans de pratiques religieuses populaires. Ensuite, une valeur de bien symbolique pour une culture et une nation qui acceptent de s'y reconnaître. Enfin, une valeur d'œuvre d'art qui s'accroît au rythme de la reconnaissance et de l'appréciation du talent des créateurs de l'époque.

Bien que ce livre en trace un portrait élogieux, le trésor de la Côte-de-Beaupré ne se présente pas comme un ensemble accessible. Fragmentées et dispersées, des parties importantes du trésor ne sont pas disponibles et bénéficieraient d'une mise en valeur régionale. Actuellement, c'est à Saint-Joachim que le contexte de conservation idéal existe vraiment, alors que tous les éléments du trésor sont utilisés pour l'exercice du culte, dans le même décor qui prévalait à la fin du XVIIIe siècle. Mais pour combien de temps encore sera-t-il possible de maintenir cet environnement authentique et fragile ? Ce problème ne se pose pas à Sainte-Anne-de-Beaupré, où l'essentiel du très riche patrimoine religieux est conservé et exposé

216
Thomas Baillairgé
(1791-1859)
Panneau décoratif
Bois doré
L'Ange-Gardien

dans l'important musée construit par les Rédemptoristes à proximité de la basilique. Ainsi, le visiteur et le pèlerin ne sont jamais bien loin des témoins du passé. La situation est différente à L'Ange-Gardien, où de magnifiques pièces sont entreposées dans la voûte de la sacristie ou confinées dans des espaces du sous-sol. Cependant, quelques chefs-d'œuvre notoires ont été restaurés par le Musée national des beaux-arts du Québec et sont le point d'attraction de sa salle « Québec, l'art d'une capitale coloniale ». Loin de leur contexte d'origine, les trois célèbres anges ont perdu une partie de leur sens. Quant aux œuvres provenant de Château-Richer, la plupart ont été dispersées pour aboutir en divers endroits dont des musées d'État.

Quiconque se préoccupe de l'avenir du trésor de la Côte-de-Beaupré doit appréhender l'indifférence qui risque de le faire sombrer dans l'oubli et la menace de disparition des pièces entreposées ici et là. Toutefois, de plus en plus de gens d'ici et d'ailleurs découvrent la richesse du trésor de la Côte-de-Beaupré et la dimension humaine et profondément religieuse de cet héritage[267].

Notes

1. Gagnon 1976, tome I, p. 59.

2. Noppen 1984, p. 20.

3. Teyssèdre 1967, p. 8.

4. L'acte de prise de possession de l'île d'Orléans est reproduit dans *BRH*, XXXIII, p. 25. Pour ce qui est de Beaupré, voir ANQ-Q, minutier de Jean Guitet. Aussi ASQ, Seigneurie I, 2.

5. Baillargeon 1972, p. 136-137.

6. Livre de comptes de la fabrique de Château-Richer 1782, p. 6. Don d'un calice de F. Ranvoyzé lors d'une épidémie de sauterelles.

7. Noppen 1984, p. 11.

8. Malraux 1954

9. ASQ, Seigneuries 3, 15.

10. SME, 12. Le rayonnement spirituel. Histoire administrative. http://www.mcq.org/objects/fonds_archives/ame/2.htm Règlement entre Mgr l'évêque de Québec, le séminaire et chapitre des 13 et 20 février 1692.

11. Baillargeon 1972, p. 204.

12. Baillargeon 1972, p. 205.

13. AAQ, L'Ange-Gardien 1,5 : ASQ manuscrit C-2, p. 186, 188 et 247.

14. ASQ, Séminaire 2, p. 37.

15. Bélanger 1998, p. 46 citant Bertrand De La Tour (1700-1780).

16. Baillargeon 1972, p. 206.

17. SME, 12.2.1/1/76. Document original en latin.

18. Gowans 1955, p. 41.

19. Noppen 1977, p. 12.

20. Noppen 1977, p. 13.

21. SME, 12.2.1/1/75. Document non signé. L'écriture est celle de Jean Guyon, secrétaire de Mgr de Laval.

22. Gosselin 1890, p. 243.

23. Gowans 1955, p. 106.

24. Baillargeon 1972, p. 204.

25. Ordonnance de Mgr de Pontbriand, 1749. Livre de compte de la Fabrique du Château-Richer, 1741-1781, p. 118.

26. Gariépy 1969, p. 124.

27. Laberge 1963, p. 161.

28. Casgrain 1903, p. 232.

29. QQIBC, greffe, François Genaple, 1688. Marché entre Mgr de Saint-Vallier et Claude Baillif pour la reconstruction de l'église de Sainte-Anne.

30. Noppen 1974, p. 30.

31. Voyer 1981, p. 43, 61, 126-127.

32. Acte daté 6 octobre 1684, fac-similé reproduit dans Gaumond 1978, p. 42.

33. Gaumond 1978, p. 32. En annexe, archives du Séminaire de Québec, livre de comptes, 1728, folio 132.

34. Kalm 1749, p. 337.

35. Gaumond 1978, p. 64.

36. Doughty 1901-1902, Vol. II. Journal capt John Knox, p. 32. Vol. IV. Journal capt John Montresor, p. 330. Vol. V. Journal general Townsend, p. 261. Traduction manuscript. Journal of colonel Malcolm Fraser, p. 14.

37. Trudel 1972, p. 55.

38. Trudel 1972, p. 51.

39. Belisle 1980, p. 18.

40. Lavallée 1968, p. 29.

41. Tapié 1957, p. 224.

42. Tapié 1957, p. 261.

43. Villeneuve 1997, p. 41.

44. Cette statue de sainte Madeleine n'a pas non plus les attributs de la Madeleine repentante au désert, vêtue d'oripeaux et méditant sur un crâne.

45. Porter 1986, p. 343, cite le Musée de l'Homme, Fonds Marius Barbeau, dossier Sainte-Anne-de-Beaupré.

46. Bélanger 1998, p. 96. ABSA – vol. 35, mai 1907, p. 35.

47. Bélanger 1998, p. 36.

48. QMQ 1984, p. 106. Centre Marguerite-d'Youville, communication personnelle. Porter 1986, p. 473.

49. Casgrain 1903, p. 204.

50. Villeneuve 1997, p. 53.

51. Lavallée 1968, p. 40.

52. Villeneuve 1997, p. 53.

53. Béland, Mario 2001, conférence donnée à la Société d'histoire de la Côte-de-Beaupré 11-11-01.

54. Deux gravures de Jérôme Wierix (1553-1619) représentent saint Michel portant une palme comme attribut. Communication personnelle de Claude Belleau.

55. Traquair 1947, p. 167.

56. Traquair 1947, p. 175.

57. QMQ 1984, p. 137.

58. Lasnier 1944, p. 83.

59. QMQ 1984, p. 138-139.

60. Morisset 1950, p. 26.

61. Karel 1992, p. 479.

62. Bacqueville de La Potherie, *Histoire de l'Amérique septentrionale*, 1722, tome I, p. 235. Cité par Porter 1986, p. 340.

63. Porter 1986, citation : 23 mars 1707. Quittance au curé Antoine Chabot, Musée de l'Homme, fonds Marius Barbeau, p. 343.

64. Transcripta, ASQ. SME 8 / MS-6.

65. Porter 1982a, p. 194. Une analyse des essences de bois pourrait déterminer de façon définitive si le baldaquin est d'origine canadienne ou européenne.

66. Gosselin 1911, p. 347, 161.

67. Moogk 1975, p. 3.

68. Gagnon 1976, tome II, p. 133.

69. Martin 1988, p. 99 et 127.

70. Saint-Vallier 1703, p. 28.

71. Lavallée 1968, p. 59.

72. Gagnon 1976, tome I, p. 60.

73. En provenance de Château-Richer d'après Paul Gouin de qui le MNBAQ les a achetées.

74. Inducle 1880, p. 104.

75. Karel 1975, p. 67.

76. Villeneuve 1997, p. 76. Citant Pérousse du Monteloo « Le Cours d'architecture (1771-1777) de J.-F. Blondel fut l'occasion de réduire en principes la plus grande partie des règles que les Mansart ont mis en pratique dans leurs édifices ».

77. Karel 1975, p. 78.

78. Karel 1975, p. 80.

79. Béland 1996, p. 19.

80. Hautecœur 1948, p. 682 ; Villeneuve 1997, p. 76.

81. Porter 1986, p. 268.

82. Porter 1986, p. 268.

83. Rituel du diocèse de Québec, p. 185-186. Mgr de Saint-Vallier 1703.

84. Villeneuve 1990, p. 35.

85. Lavallée 1968, p. 44.

86. Villeneuve 1997, p. 83.

87. Archives de la fabrique Notre-Dame de Québec, carton 12, n°s 84-85. Inventaire général des biens appartenant à la paroisse Notre-Dame de Kebek, 1675.

88. Gauthier 1974, p. 17.

89. QMQ 1983, p. 100.

90. Casgrain 1903, p. 204.

91. ABSA 1907, p. 38.

92. D'après le détail de la décoration, Thomas Baillairgé aurait ajouté les deux gradins du haut.

93. Porter 1986, p. 358.

94. Porter 1996, p. 288.

95. Gauthier 1974, p. 16.

96. D'après la photographie de J.-E. Livernois, les ailes des anges sont installées de façon à être plus ouvertes qu'elles ne le sont aujourd'hui.

97. Béland 1985, p. 2.

98. QMC 1983, p. 102.

99. Morisset 1971, p. 11.

100. Livre de comptes I de la paroisse de Sainte-Anne-de-Beaupré, retranscrit par Gérard Morisset 21-01-49, IOA, 1973, MCCQ. « juin 1708 payé à Charles Vezinast sculpteur pour son travail aux colonnes du retable » « 13 mars 1709 payé à Charles Vezinast sculpteur pour les côtés de l'attique ».

101. Archives C.S.S.R. Sainte-Anne-de-Beaupré, PA-16b1, lettre de Marius Barbeau au père J.-P. Asselin en 1961. Il n'y a aucune mention de ces statues dans les livres de comptes.

102. Porter 1986, p. 342.

103. Morisset, Gérard, *Saint-Damase-de-l'Islet*, 1946, p. 5. Archives du diocèse Sainte-Anne-de-la-Pocatière.

104. Communication de René Villeneuve à l'auteure. Information corroborée sur place. Octobre 2003.

105. Il s'agit de Thomas Caron et ses fils Jos, Thomas, Pierre, Maxime. Le curé Louis-Georges Caron a trouvé une facture de 280 $ payée à Thomas Caron pour fabrication d'autels latéraux et cadre du tableau.

106. *Le 125e anniversaire de St-Apollinaire (1857-1982)*, p. 55.

107. Livre de comptes et de délibérations de la paroisse de Saint-Apollinaire, 19 mai 1867.

108. Livre de comptes de la paroisse Saint-Antoine-de-Tilly (I) 1733-1766, (II) 1766-1789, IOA, MACC, Chaudière-Appalaches. Information corroborée dans les registres de la paroisse.

109. Payer, communication personnelle.

110. Drolet-Michaud 2002, p. 51-52.

111. Livre de comptes de la fabrique de Château-Richer, 1741-1781, p. 150.

112. Dossier de conservation du Musée des beaux-arts du Canada (14669) 1985.

113. Gariépy 1969, p. 126.

114. Livre de comptes de la fabrique de Château-Richer débutant en 1782 en date du 26 mars 1804.

115. Annales, Sœurs du Bon-Pasteur, tome III, 3 septembre 1879.

116. Laroche 1990, p. 315, 339, 347, 351.

117. Martin 1986, p. 5.

118. Barbeau 1957, p. 36.

119. Gauthier 1975, p. 71-72.

120. Claude Payer, communication personnelle.

121. Villeneuve 1997, p. 69.

122. Gauthier 1975, p. 75.

123. Livre de comptes, 1765-1783, fabrique de Saint-Joachim, en date de 1782 tel que revu par J.C. Roy, IOA 1982, MACC.

124. ASQ, vol. 26 no 4. « Reçu de Monsieur Demers la somme de 46 livres 2 chellings pour prix de deux petits retables » tel que revu par Gérard Morisset dans l'inventaire de Saint-Joachim de Montmorency. ANQ-Q.

125. Hautecœur 1948, p. 830.

126. Tapié V.-L., *L'Encyclopédie universelle*, Baroque, p. 1091.

127. Villeneuve 1997, p. 51.

128. Calvesi 1986, p. 177-178.

129. Sale 2003, p. 72.

130. Sale 2003, p. 45.

131. Porter 1986, p. 189.

132. Sale 2003, p. 56.

133. Sale 2003, p. 173.

134. Vachon 1982, p. 311.

135. Baillargeon 1972, p. 127.

136. Pontbriand au ministre, 7 nov. 1748, ASQ.

137. Gagnon 1975, cité dans QMQ 1984, p. 15.

138. Karel 1992, p. 313.

139. Gagnon 1976, tome I, p. 60.

140. Nicolle 1996, p. 1.

141. Casgrain 1902, p. 46, Ordonnance de Mgr de Laval, dans sa visite à L'Ange-Gardien du 28 mai 1671.

142. Morisset 1944, p. 118.

143. Gagnon 1976, tome I, p. 76.

144. Poletto 1990, p. 52.

145. Payer 2000, p. 16.

146. Pichette 1977, p. 7-8.

147. Casgrain 1903, p. 93.

148. Gagnon 1976, tome I, p. 60.

149. Morisset 1944, p. 60.

150. Gagnon 1976, tome I, p. 76.

151. Cloutier 1982b, p. 83.

152. Cloutier 1982a, p. 26.

153. Simard 1989, p. 128, citant Bernard Cousin.

154. Cloutier 1984, p. 152.

155. Cloutier 1984, p. 155.

156. Cloutier 1984, p. 159.

157. Berthiaume 1991, p. 17.

158. Asselin 1958, p. 82. Tel que cité par Berthiaume 1991, p. 109.

159. CBC 1999, p. 254.

160. Béland 1991, p. 412.

161. Berthiaume 1991, p. 46.

162. Porter 1982b, p. 65-66.

163. Lacroix 1998, p. 261.

164. Lacroix 1998, p. 42.

165. Simard 1989, p. 134.

166. Lacroix 1998, p. 124 et p. 160.

167. Lacroix 1998, p. 125-126.

168. CBC 1999, p. 216.

169. CBC 1999, p. 216.

170. Lacroix 1998, p. 441.

171. CBC 1999, p. 217.

172. Lacroix 1998, p. 437.

173. Drolet 1987, p. 199.

174. Lacroix 1998, p. 524.

175. Lacroix 1998, p. 513.

176. Prioul, 1993, p. 15.

177. Porter 1978, p. 115. Peinte en 1836, cette toile est destinée à la St. Patrick's Church de Québec. On la retrouve en 1875 au St.Bridget's Home de Québec. Elle est acquise par les Rédemptoristes en 1963.

178. Normand 1999, p. 19. Plaque de cuivre gravée par Schelte à Bolswert cote KPG 1X/74, Musée Plantin-Moretus, Anvers.

179. Porter 1984, p. 2.

180. Lacroix 1998, p. 274.

181. Lacroix 1998, p. 288.

182. Porter 1984, p. 15.

183. Porter 1984, p. 19.

184. Porter 1984, p. 21.

185. Drolet 1987, p. 196.

186. Inventaire des biens de la fabrique de L'Ange-Gardien réalisé par Mgr Marc Leclerc le 19 janvier 1978, 16 p.

187. IOA, Paroisse de L'Ange-Gardien, ANQ-Q.

188. Fabrique de la paroisse de L'Ange-Gardien, C. Gariépy *et al.*, C.S.200-05-001510-76. 18 janvier 1980. J.-Paul Étienne Bernier.

189. Morisset 1980.

190. Les tableaux *Conservation des objets*, *Chronologie* et *Typologie* incluent les mentions compulsées à partir des trois inventaires dressés par la paroisse de L'Ange-Gardien en 1845, 1881 et 1914.

191. Arminjon 1998, p. 234 et 243. Turgeon 2002. Ouellet 2004.

192. Arminjon 1998, p. 262-264. Archives Robert Derome, étude non publiée.

193. Bradbury 1912.

194. Derome 1992, p. 131, et Derome 1994b.

195. À la suite de l'acquisition des brevets de Ruolz et Elkington (Arminjon 1998). Bouilhet 1981.

196. Baillargeon 1972, p. 19 et suivantes.

197. Trudel 1968, n° 85. Trudel 1974, p. 69, n° 11.

198. Bimbenet-Privat 1995a. Le seul poinçon conservé sous l'objet est pratiquement effacé, oblitéré par la réargenture.

199. Fox 1978, p. 20-22, opinion reprise dans Noppen 1984, p. 120-121

200. Derome 1997.11.21.

201. Toronto, University of Toronto, Thomas Fisher Rare Book Library, Manuscript Collection, Langdon Papers. Cette photographie ressemble à celles de Marius Barbeau avec qui John E. Langdon a correspondu à cette époque. Les indications provenant de Barbeau sont souvent sujettes à caution. Se pourrait-il qu'il se soit trompé sur l'identification de la paroisse où se trouvait ce ciboire ?

202. 1767, Boîte aux saintes huiles, Anonyme. 1791, Piscine, François Ranvoyzé (1739-1819). 1804-1805, Lampe de sanctuaire, Anonyme. 1810 et 1833, Burettes assiette, Anonyme. 1833 et 1874, Instrument de paix, Anonyme. 1844, Vases [Réparation], François Sasseville (1797-1864). 1845, Aiguière baptismale, Angleterre. 1874, Lampe de sanctuaire, Anonyme. 1907 et 1910, Réparations et argenture, Cernichiaro. Inconnue, Navette, Anonyme.

203. 1 ostensoir. 2 ciboires. 1 calice. 2 paires de burettes, dont 2 d'argent et 1 d'étain. 1 encensoir d'argent et 1 do de ter-blanc. 1 bénitier de cuivre et do d'étain. 1 paix d'argent et 1 tasse de même métal. 1 vase à purifier d'argent. 1 porte-Dieu. 1 croix de procession en métal argenté. 1 autre vieille de cuivre. 1 bassin d'étain pour les fonts. Point de [ces deux derniers mots ont été raturés et remplacés par le chiffre]. 1 vase pour verser l'eau baptismale. 3 ampoules d'argent.

204. 2 ciboires. 2 calices. 1 ostensoir. 2 paires de burette[sic]. 1 porte-Dieu. 3 vases d'argent. 2 bénitiers. 2 croix de procession. 3 sets [sic] de chandeliers [autels]. 2 ostensoirs [sic].

205. 1° Deux ostensoirs. 2° 2 encensoirs d'argent et deux navettes d'argent. 3° 4 ciboires d'argent ; le premier contient 800 hosties ; le 2d, 700 ; le 3e, 400 ; le 4e, 200. 4° Deux calices d'argent, un calice d'argent doré. 5° Un bénitier d'argent. 6° Trois reliquaires d'argent [ils sont en métal argenté]. 7° Deux burettes d'argent. 8° Deux doz. chandeliers cuivre argenté. 9° Trois croix d'autel de cuivre argenté.

206. Par exemple, le magnifique ex-voto commandé en 1891 à Poussielgue et Rusand Fils par son donateur le comte de Paris, qui y a fait illustrer son aïeul saint Louis. Derome 1994b, p. 280 et fig. 21.

207. Lefebvre 1961 ?, p. 84. Gagné 1967, n° 14. Livres de comptes : 1763 raccommodage du reliquaire de Ste-Anne 18.

208. Derome 1994a, p. 106.

209. Les Huguenots, nombreux à La Rochelle, sont bien connus pour avoir transporté, lors de leur émigration en Angleterre (Hayward 1959) et aux États-Unis (Paul Revere par exemple), cette ancienne technique française.

210. À Saint-Joachim : bénitier, burettes, calice et ciboire en 1767 ; bénitier et lampe en 1769. À Sainte-Anne-de-Beaupré : croix et bénitier en 1769.

211. À L'Ange-Gardien : « boîte de Stes Huiles 10 livres 0 » en 1767. À Saint-Joachim : un porte-dieu et une bourse en 1769.

212. Derome 1974a, Derome 1976, Derome 1980, Derome 1983.

213. Château-Richer : 1776 porte-dieu ; 1779 « une lampe d'argent haché 420 livres ». L'Ange-Gardien : 1804 « fait argenter les deux petites Lampes » ; 1805 « Chaine d'argent pour la lampe 4. 2. 0. » ; 1807 « Couronne pour l'Hostensoir 2. 0. 0. » ; 1810 assiette et burettes refondues en 1852 par Sasseville. Saint-Joachim : 1779 porte-dieu ; 1787 burettes d'étain ; 1792 porte-dieu refondu par Amiot en 1836 ; 1801 burettes. Les raccommodages ne concernent que 4 références, à Saint-Joachim, de 1774 à 1788, sur calice, patène, burettes, ciboire et porte-dieu.

214. 1774 Pour une croix et six chandeliers argentés 283 livres 4. 1781 pour quatre petits chandeliers d'argent et indienne couverture 164 livres 12. 1792-1793 Pour une boite au Ste Huiles 9 livres. 1797 Pour un petit ciboire d'argent 24 livres. 1799 Pour Dentelle d'argent 44 livres. 1799 Pour un porte-dieu 9 livres 16. 1800 Pour Agraffes d'argent 9 livres 16. 1800 Pour un bénitier d'argent 216 livres. 1806 Boite aux Stes Huiles 69 livres.

215. L'Ange-Gardien : 1833 « Une Paix 0. 8. 0. ». Saint Joachim : 1811 Pr un bénitier d'argent 300 livres ; 1835 pour un goupillon d'argent 1.0.0 ; 1838 4° Que la croix processionnelle celle du banc d'œuvre et les chandeliers qui l'accompagnent, qui sont de cuivre, soient argentés ; 1843 il a été tiré du coffre-fort la somme de dix livres, seize Schellings et trois pences, cours actuel pour payer les chandeliers et croix argentés du banc d'œuvre. Sainte-Anne-de-Beaupré : 1826 Un petit ciboire 180 livres ; 1834 Quatre beaux candélabres argentés 200 livres ; 1834 Un goupillon d'argent 36 livres.

216. 1842 pour la verge ou baguette d'office du bedeau 0 livres 12 livres 6. 1845 (Le 18 septembre 1845, on tire du coffre la somme de £ 2. 0. 0.) pour payer un vase argenté qui doit être employé à l'eau baptismale et une assiette aux burettes. 1856 Réparations aux argenteries et Argenture de différents objets en cuivre 16. 3. 0. 1857 A Villars, balance pour argenterie et chandeliers de cuivres, etc. 2, 7, 0. 1871 Chandeliers du grand autel argentés 36.00. 1871 Piscine pour la sacristie $ 3.00.

217. 1841 Burettes et bassin £ 12. 10. 0. 1850 Pour un petit ciboire £ 1. 2. 0. 1856 Pour les argenteries £ 15. 8. 0. 1859 Pour encensoir £ 11. 0. 0. 1863 Lampe £ 10. 18. 0. 1870 Pour un ciboire d'argent £ 16. 0. 0 1871 Balance sur un Ciboire $1.00. 1871 Balance sur un Calice $20.00.

218. L'Ange-Gardien : 1874 « Une lampe pour le St. Sacrement $40.00 ».

219. Bimbenet-Privat 1995a.

220. « Six gardes exercent la police de l'effectif – tout théorique – des trois cents ateliers d'orfèvres parisiens. C'est dire si la charge de garde, sinécure dans d'autres communautés, peut apparaître dans le cas des orfèvres comme une très lourde responsabilité. […] Les missions des gardes sont nombreuses et si codifiées que l'une des équipes, le 31 mai 1689, finit par en publier un récapitulatif assorti de nombreux formulaires […] » Bimbenet-Privat 2002, tome I, p. 28-31.

221. Nocq 1926-1931, tome III, p. 146 ; Bimbenet-Privat 1992, p. 540, 368-369, 376-377 ; Bimbenet-Privat 1995b.

222. 28 calices, 14 patènes, 10 paires de burettes, 22 ciboires, 10 ostensoirs, des encensoirs, des crosses, etc.

223. Écuelles, tasses à godrons, salières, manches de couteaux, etc.

224. De burettes, de boîtes aux saintes huiles, d'ostensoirs, de croix de procession, de calices.

225. DBC. http://www.biographi.ca

226. Cloutier 1984.

227. 1673 pour le petit calice qu'on a fait raccommoder 6 livres.

228. Dupont 1965, catalogue n° 177, pl. 239 ; Frégnac 1965, p. 74-75.

229. Derome 1996, p. 10, note 7.

230. Trudel 1974.

231. Derome 1974b. Trudel 1974.

232. Derome 1974b. Trudel 1974.

233. Derome 1994a, 1994b.

234. « Payé à Sr Maison Basse orfèvre pr le raccommodage du calice 1 livre 10 ».

235. Trudel 1974.

236. Derome 1974b. Trudel 1974.

237. Morisset 1947. Derome 1996, p. 18-20.

238. Derome 1996.

239. 6 petits Christ sculptés et réparés en plomb dont l'un mesurait « 4 poulces » ; 1 tête d'aigle ; 7 « ance » et 1 « bouton de thé pot » ; deux anses de soupière ; « un modelle de champlure » ; « un ance un pied et une pomme au vase pour une soupiere » ; « les modelles du pot d'argent, un bec, deux doulles d'ance et le petit vase du couvercle » ; 1 anse de cafetière ; « un modelle de couronne » (FGM, 00372-00374).

240. Barbeau 1935 ; Barbeau 1935.06.01 ; Barbeau 1936 ; Barbeau 1936.03.04 ; Barbeau 1937.04.03 ; Barbeau 1937 ; Barbeau 1946.08.25a ; Barbeau 1946.08.25b ; Barbeau 1965.

241. Archives Robert Derome, étude en préparation.

242. Trudel 1975. Derome 1987b.

243. Gérard Morisset la décrivait ainsi : « Vase à ablutions en argent massif. Couvercle orné de roses, comme la navette de L'Ange-Gardien ; on y voit aussi des boutons de roses stylisés. Panse ornée d'oves irréguliers. Forme ronde. […] Cette pièce, que j'ai inventoriée en août 1939, n'existe plus à L'Ange-Gardien en septembre 1941… G.M. ». FGM. Morisset 1980. Derome 2002.01.16.

244. Derome 1996, p. 32-33, n° 9.

245. Morisset 1947.05.

246. Derome 1976, p. 58, fig. 4.

247. Derome 1984.09, ill. p. 20. Derome 2004.02.20.

248. Morisset 1945. Derome 1996, p. 47-48.

249. Derome 1976.

250. Villeneuve 1988. Derome 1998.06.16.

251. Karel 1975, p. 52. Villeneuve 1988.

252. Trudel 1974, p. 121-125.

253. Paris, Archives de l'Inventaire général des monuments et des richesses artistiques de la France.

254. Nocq 1926-1931.

255. Toronto, University of Toronto, Thomas Fisher Rare Book Library, Manuscript Collection, Langdon Papers. Copie de Colonial Office Papers, Québec, 1791,« Journal of the Proceedings of the Board upon Indian Presents », 15 février 1791.

256. Derome 1993.

257. Amiot est au faîte de sa carrière à cette époque où commencent à se manifester plusieurs des grands artistes québécois du XIXe siècle, qui contribuèrent pour beaucoup à la redéfinition du statut social de l'artiste. Par exemple, des peintres tels que Louis Dulongpré, Antoine Plamondon et Joseph Légaré. Pensons également aux collectionneurs et aux marchands de plus en plus nombreux.

258. La paroisse a en outre payé en 1836 pour un porte-dieu, non retrouvé, qui avait peut-être été fabriqué par Amiot par la refonte de celui acquis en 1792.

259. Chalabi 1993. Derome 2002.06.03.

260. FGM, Livres de comptes, 1835, f° 40 : « Une cuiller d'argent [0], 5. 0. ».

261. Arminjon 1991. Arminjon 1994.

262. Trudel 1977.

263. Morisset 1980.

264. Livres de comptes : « partie du paiement d'un calice ft par Mr Sasseville 25. 0. 0 Ce calice a couté 30 louis : le reste du paiment a été fait au moyen d'un ancien calice revendu pr les missions à Mgr de Québec. »

265. FGM, Livres de comptes de L'Ange-Gardien, 1844, f° 52 : « Pour réparation des vases sacrés par Mr. Sasseville 2. 9. 3. »

266. FGM, L'Ange-Gardien, Livres de comptes : « 1907 Payé à Cernichiaro pour divers et réparations 120.00 » ; « 1910 Cernichiaro, argenteur 27.50 ».

267. Le reliquaire de saint Louis de Gonzague de la chapelle du Petit Cap est une œuvre neo-classique que l'on peut attribuer soit à François Baillairgé, à cause des têtes d'anges aux cheveux bouclés, soit à son fils Thomas, à cause de la similitude des motifs d'ornementation qu'il a sculptés sur un autel du Séminaire de Québec. Communication de Claude Payer à l'auteure.

Bibliographie

Veuillez noter que les sources d'archives sont indiquées dans les notes de bas de page et ne seront pas reprises ici.

ABSA 1907 Annales. Article non signé, « Ranvoyzé ». *Annales de la Bonne Sainte Anne*, vol. 35, mai 1907, p. 34-45.

Arminjon 1991 Arminjon, Catherine, James Beaupuis et Michèle Bilimoff, *Dictionnaire des poinçons de fabricants d'ouvrages d'or et d'argent de Paris et de la Seine 1798-1838*, Paris, Imprimerie nationale Éditions et inventaire général des monuments et des richesses artistiques de la France (Cahiers de l'Inventaire 25), 1991, 392 p.

Arminjon 1994 Arminjon, Catherine, James Beaupuis et Michèle Bilimoff, *Dictionnaire des poinçons de fabricants d'ouvrages d'or et d'argent de Paris et de la Seine 1838-1875*, tome II, Paris, Imprimerie nationale Éditions et inventaire général des monuments et des richesses artistiques de la France (collection « Dictionnaires des poinçons de l'orfèvrerie française », Cahiers de l'Inventaire 27), 1994, 440 p.

Arminjon 1998 Arminjon, Catherine (sous la direction scientifique de) et Michèle Bilimoff, *L'art du métal, Vocabulaire technique*, Paris, Imprimerie nationale, Caisse nationale des monuments historiques et des sites, Éditions du patrimoine (collection Principes d'analyse scientifique), 1998, 365 p.

Asselin 1958 Asselin, Jean-Pierre, « Les ex-voto de Sainte-Anne-de-Beaupré », *Annales de la Bonne Sainte Anne*, vol. 86, n° 3, mars 1958, p. 82-85.

Baillargeon 1965 Baillargeon, Samuel, *Votre visite au Sanctuaire de Sainte-Anne-de-Beaupré*, 1965, 194 p.

Baillargeon 1972 Baillargeon, Noël, *Le Séminaire de Québec sous l'épiscopat de Mgr de Laval*, Sainte-Foy, Les Presses de l'Université Laval, 1972, 308 p.

Barbeau 1935 Barbeau, Marius, « Anciens orfèvres de Québec », *Mémoires de la Société royale du Canada*, Ottawa, 3e série, tome XXIX (1935), section I, p. 113-125 [tiré à part].

Barbeau 1935.06.01 Barbeau, Marius, « Anciens orfèvres de Québec », *La Presse*, Montréal, 1er juin 1935, p. 73.

Barbeau 1936 Barbeau, Marius, « Rival Silversmiths », *Quebec Where Ancient France Lingers*, Québec et Toronto, Librairie Garneau et The Macmillan Company of Canada Limited, [(c)1936], 173 p.

Barbeau 1936.03.04 Barbeau, Marius, « Rival Silversmiths », *Family Herald and Weekly Star*, Montréal, 4 mars 1936, p. 24 et 35.

Barbeau 1937.04.03 Barbeau, Marius, « Rivalités d'anciens orfèvres », *La Presse*, Montréal, 3 avril 1937, p. 39.

Barbeau 1937 Barbeau, Marius, « La rivalité des orfèvres », *Québec où survit l'ancienne France*, Québec, Librairie Garneau limitée, [(c)1937], p. 61-78.

Barbeau 1946.08.25a Barbeau, Marius, « Orfèvres de Québec », *L'Événement-Journal*, Québec, 25 août 1946, suppl., p. 7.

Barbeau 1946.08.25b Barbeau, Marius, « Orfèvres de Québec », *Le Soleil*, Québec, 25 août 1946, suppl., p. 7.

Barbeau 1957 Barbeau, Marius, *Trésor des anciens jésuites*, Bulletin n° 153 de la série anthropologique, Ottawa, Imprimeur de la Reine, 1957, 242 p.

Barbeau 1965 Barbeau, Marius, « François Ranvoyzé, orfèvre », *Folklore*, Montréal, Barbeau (Cahiers de l'Académie canadienne-française, n° 9), 1965, 180 p.

Béland 1985 et 1988 Béland, Mario, *Marius Barbeau (1883-1969) et l'art au Québec, bibliographie analytique et thématique*, Québec, CELAT de l'Université Laval (collection Outils de recherches du CELAT n° 1), 1985, 139 p., 2e édition revue et corrigée, février 1988, 135 p.

Béland 1991 Béland, Mario (sous la direction de), Paul Bourassa, Laurier Lacroix, John R. Porter, Didier Prioul, Mary Allodi, Victoria Baker, Denis Castonguay, Joanne Chagnon, Lydia Foy, Gilbert Gignac, Yves Lacasse, Eva Major-Marothy, Denis Martin et Stanley G. Triggs, *La peinture au Québec, 1820-1850, nouveaux regards, nouvelles perspectives*, Québec, Musée du Québec et Les Publications du Québec, 1991, 608 p.

Béland 1994 Béland, Mario (sous la direction de), Claude Belleau, Michèle Lepage et Claude Payer, *Restauration en sculpture ancienne*, Québec, Musée du Québec et Centre de conservation du Québec (Le Musée du Québec en images, n° 7), 1994, 149 p.

Béland 1996 Béland, Mario, « Une œuvre inédite de François Baillairgé (1759-1830). L'ensemble statuaire de l'église de Deschambault », *Annales d'histoire de l'art canadien*, vol. XVII, n° 1, 1996, p. 6-33.

Bélanger 1998 Bélanger, Louis Philippe, *Sainte-Anne-de-Beaupré, histoire et souvenirs, pèlerinage et paroisse*, 1998, Imprimerie H.L.N., 319 p.

Bélisle 1980 Bélisle, Jean, « Le retable de Saint-Grégoire de Nicolet et le problème de la contrainte architecturale dans les ensembles sculptés québécois », *Annales d'histoire de l'art canadien*, vol. V, n° 1, 1980, p. 18-32.

Berthiaume 1991 Berthiaume, Pierre et Émile Lizé, *Foi et légendes. La peinture votive au Québec (1666-1945)*, Montréal, VLB Éditeur, 1991, 141 p.

Bimbenet-Privat 1992 Bimbenet-Privat, Michèle, *Les orfèvres parisiens de la Renaissance (1506-1620)*, Paris, Commission des travaux historiques de la Ville de Paris, 1992, 692 p.

Bimbenet-Privat 1995a Bimbenet-Privat, Michèle, et Gabriel de Fontaines, préface par Jean Dérens, *La datation de l'orfèvrerie parisienne sous l'Ancien Régime. Poinçons de jurande et poinçons de la Marque 1507-1792*, Paris, Paris-Musées, Éditions des Musées de la Ville de Paris, 1995, 185 p.

Bimbenet-Privat 1995b Bimbenet-Privat, Michèle (sous la direction de), *L'Orfèvrerie parisienne de la Renaissance, trésors dispersés*, Catalogue d'exposition, Paris, Centre culturel du Panthéon, 1995, 238 p.

Bimbenet-Privat 2002 Bimbenet-Privat, Michèle *Les orfèvres et l'orfèvrerie de Paris au XVIIe siècle (Tome I, Les Hommes, Tome II, Les Œuvres)*, Paris, Commission des travaux historiques de la ville de Paris, 2002.

Bouilhet 1981 Bouilhet, Henri, *150 ans d'orfèvrerie, Christofle, Silversmith since 1830* et Chêne et Hachette, 1981, 272 p.

Bradbury 1912 Bradbury, Frederick, *History of Old Sheffield Plate [...]*, Sheffield, J. W. Northend Limited, 1912 (réimpression de 1968), 539 p.

Brousseau 1988 Brousseau, Réjean, *Saint-Antoine-de-Tilly. L'encadrement paroissial publié à l'occasion du bicentenaire de l'église*, Québec, 1988, 72 p.

Calvesi 1986 Calvesi, Maurizio, Deoclecio Redig de Carupos, *Les Trésors du Vatican*, Genève, Skira, 1986, 214 p.

Campeau 1993 Campeau, Lucien, « François de Laval, un bâtisseur », *Cap-aux-Diamants*, 1993, p. 10-15.

Casgrain 1903 Casgrain, René-E., *Histoire de la Paroisse de L'Ange-Gardien*, Québec, Dussault et Proulx, 1903, 374 p.

CBC 1999 Commission des biens culturels, *Les chemins de la mémoire*, Québec, Les Publications du Québec 1999, 428 p.

Chalabi 1993 Chalabi, Maryannick et Marie-Reine Jazé Charvolin, *Dictionnaire des poinçons de l'orfèvrerie française. Poinçons des fabricants d'ouvrages d'or et d'argent Lyon 1798-1940*, Paris, Imprimerie nationale Éditions et inventaire général des monuments et des richesses artistiques de la France (Cahiers du patrimoine n° 31), 1993, 328 p.

Cloutier 1982a Cloutier, Nicole, *L'iconographie de sainte Anne au Québec*, thèse de doctorat, département d'histoire, Université de Montréal, septembre 1982.

Cloutier 1982b Cloutier, Nicole, « Le tableau de l'ancien maître-autel de Sainte-Anne-de-Beaupré », *Annales d'histoire de l'art canadien*, vol. VI, n° 1 (1982), p. 83-90.

Cloutier 1984 Cloutier, Nicole, « La peinture votive à Sainte-Anne-de-Beaupré », sous la direction de B. Lacroix et J. Simard, *Religion populaire, religion de clercs*, Québec, Institut québécois de recherche sur la culture, 1984, p. 149-179.

Cousin 1983 Cousin, Bernard, *Le miracle et le quotidien, les ex-voto provençaux, images d'une société*, Aix-en-Provence, Université de Provence, 1983.

DBC *Dictionnaire biographique du Canada*, Québec, Les Presses de l'Université Laval. Aussi publié en anglais par University of Toronto Press. Édition Web http://www.biographi.ca.

De l'Orme 1567 De l'Orme, Philibert, *Traités d'architecture : premier tome de l'architecture*, Léonce Laget, Paris, 1988, 283 p.

Derome 1974a Derome, Robert, *Delezenne, les orfèvres, l'orfèvrerie*, Mémoire de maîtrise en histoire de l'art, Montréal, Université de Montréal, 1971, 387 p.

Derome 1974b Derome, Robert, *Les orfèvres de Nouvelle-France, inventaire descriptif des sources*, Ottawa, Galerie nationale du Canada (Documents d'histoire de l'art canadien, n° 1), 1974, 242 p.

Derome 1976 Derome, Robert, « Delezenne, le maître de Ranvoyzé », *Vie des arts*, Montréal, vol. XXI, n° 83 (été 1976), p. 56-58.

Derome 1980 Derome, Robert, « Delezenne, Ignace-François », *Dictionnaire biographique du Canada, Volume IV, de 1771 à 1800*, Québec, Les Presses de l'Université Laval, 1980, p. 220-224.

Derome 1983 Derome, Robert, et José Ménard, « Ranvoyzé, François », *Dictionnaire biographique du Canada, Volume V, de 1801 à 1820*, Québec, Les Presses de l'Université Laval, 1983, p. 778-781.

Derome 1984.09 Derome, Robert, « L'art sacré, une étude de gestes », *Continuité*, n° 25 (automne 1984), p. 18-24.

Derome 1987a Derome, Robert « Ramsay Traquair, l'histoire de l'orfèvrerie ancienne au Québec et les archives de l'Université McGill » Irena Murray (dir.), *Ramsay Traquair et ses successeurs, guide du fonds*, Montréal, McGill University (collection Architecture canadienne, Blackader-Lauterman Library of Architecture and Art), 1987, p. 48-77.

Derome 1987b Derome, Robert et José Ménard, « Marion, Salomon », *Dictionnaire biographique du Canada, Volume VI, de 1821 à 1835*, Québec, Les Presses de l'Université Laval, 1987, p. 537-538.

Derome 1992 Derome, Robert, « Orfèvrerie / Silver », dans Conrad Graham, Sarah Ivory et Robert Derome, *Questions de goût, arts décoratifs et beaux-arts au McCord*, Catalogue d'exposition, Montréal, Musée McCord d'histoire canadienne, 1992, p. 115-147.

Derome 1993 Derome, Robert, « Les plus anciens outils et ateliers d'orfèvres au Québec », Christiane Eluère (dir.), *Outils et ateliers d'orfèvres des temps anciens (antiquités nationales, mémoire 2)*, Saint-Germain-en-Laye, Société des Amis du Musée des Antiquités nationales et du Château de Saint-Germain-en-Laye avec le concours du ministère de la Culture, 1993, p. 259-274.

Derome 1994a Derome, Robert, « L'émigration des orfèvres français au Canada et ses conséquences sur l'orfèvrerie canadienne », sous la direction de Catherine Arminjon et Alain Erlande-Brandenburg, *Les orfèvres français sous l'Ancien régime. Actes du colloque, Nantes, 13 et 14 octobre 1989*, Nantes, Association pour le développement de l'inventaire général des pays de la Loire, 1994, p. 105-108.

Derome 1994b Derome, Robert, « L'orfèvrerie au Québec, les influences française, anglaise et américaine », sous la direction de Catherine Arminjon, *L'orfèvrerie au XIXe siècle. Actes du colloque international, Galeries nationales du Grand Palais, 12-13 décembre 1991*, Paris, La Documentation française (Les Rencontres de l'École du Louvre), novembre 1994, p. 265-283.

Derome 1996 Derome, Robert (commissaire), *Les orfèvres montréalais des origines à nos jours, catalogue chrono-thématique*, Catalogue d'exposition, Montréal, Université du Québec à Montréal, Galerie de l'UQAM, 1996, 95 p.

Derome 1997.11.21 Derome, Robert, *L'orfèvrerie des ursulines au XVIIe siècle du temps de Marie de l'Incarnation*, Montréal, Université du Québec à Montréal, Web Robert Derome, créé le 21 novembre 1997, http://www.er.uqam.ca/nobel/r14310/.

Derome 1998.06.16 Derome, Robert (dir.), *Visite d'atelier. Chez Laurent Amiot, maître orfèvre*, catalogue de l'exposition itinérante préparée par le Musée d'art de Saint-Laurent, Montréal, Université du Québec à Montréal, Web Robert Derome, créé le 16 juin 1998, http://www.er.uqam.ca/nobel/r14310/.

Derome 2002.01.16 Derome, Robert (dir. et webmestre), *Gérard Morisset (1898-1970)*, Recueil de ses écrits, Montréal, Université du Québec à Montréal, Web Robert Derome, créé le 16 janvier 2002, http://www.er.uqam.ca/nobel/r14310/.

Derome 2002.06.03 Derome, Robert, avec la collaboration de Sœur Nicole Bussières, de Gilbert Langlois et de Pierre-Olivier Ouellet, *Les vestiges-reliques de l'ostensoir donné en 1682 par Madame de la Basme à Judith Moreau de Brésoles pour les Hospitalières de Saint-Joseph de Montréal […]*, Montréal, Université du Québec à Montréal, Web Robert Derome, créé le 3 juin 2002, http://www.er.uqam.ca/nobel/r14310/.

Derome 2004.02.20 Derome, Robert, *François Ranvoyzé, réparateur d'orfèvreries anciennes*, Montréal, Université du Québec à Montréal, Web Robert Derome, créé le 20 février 2004, http://www.er.uqam.ca/nobel/r14310/.

Douthty 1901-1902 Doughty, Arthur G., *The Siege of Quebec and the Battle of the Plains of Abraham*, Québec, Dusseault et Proulx, 6 vol., 1901-1902.

Drolet 1987 Drolet, Lise, « L'atelier des Sœurs du Bon-Pasteur de Québec : cent ans de peinture religieuse », *Questions d'art québécois*, Cahier du Celat, n° 6, février 1987, p. 189-219.

Drolet-Michaud 2002 Drolet-Michaud, Lise et Solange Bergeron, *Saint-Antoine-de-Tilly*, Québec, La Plume d'oie, 2002, 598 p.

Dupont 1965 Dupont, Jacques (commissaire), *Les trésors des églises de France*, Paris, Musée des arts décoratifs et Caisse nationale des monuments historiques, 1965, n.p.

FGM - *Fonds Gérard Morisset*, Québec, Archives nationales du Québec.

Fox 1978 Fox, Ross Allan C., *Quebec and Related Silver at the Detroit Institute of Arts*, Detroit, Published for Founders Society Detroit Institute of Arts by Wayne State University Press, 1978, 174 p.

Frégnac 1965 Frégnac, Claude (dir.), *Les Grands Orfèvres de Louis XIII à Charles X*, Paris, Hachette (Connaissance des arts, Grands Artisans d'autrefois), 1965, 336 p.

Gagné 1967 Gagné, Lucien et Jean-Pierre Asselin, *Sainte-Anne-de-Beaupré. Trois cents ans de pèlerinage*, Sainte-Anne-de-Beaupré, [Charrier et Dugall], 1967, 88 p.

Gagnon 1975 Gagnon, François-Marc, *La conversion par l'image, un aspect de la mission des Jésuites auprès des Indiens du Canada au XVIIe siècle*, Montréal, Bellarmin, 1975, 141 p.

Gagnon 1976 Gagnon, François-Marc et Nicole Cloutier, *Premiers peintres de la Nouvelle-France*, Québec, ministère des Affaires culturelles, (Civilisation du Québec n°s 16-17, série Arts et Métiers), 1976, 2 tomes.

Gariépy, 1969 Gariépy, Raymond, *Le Village du Château-Richer (1640-1870)*, La Société historique de Québec, n° 21, 1969, 168 p.

Gaumond, 1966 Gaumond, Michel, *La première église de Saint-Joachim (1685-1759)*, Québec, ministère des Affaires culturelles, 1966, 37 p.

Gaumond, 1978 Gaumond, Michel, *Les vieux murs témoignent. Le collège des Jésuites, la première église de Saint-Joachim, la maison Fornel*, Série archéologique, Québec, ministère des Affaires culturelles, 1978, 123 p.

Gauthier 1974 Gauthier, Raymonde, *Les tabernacles anciens du Québec des XVIIe, XVIIIe et XIXe siècles*, Québec, ministère des Affaires culturelles, (Civilisation du Québec n° 13), 1974, 112 p.

Gauthier 1975 Gauthier, Raymonde, « Les tabernacles de François Baillairgé », *Annales d'histoire de l'art canadien*, vol. II, n° 1 (été 1975), p. 71-82.

Gosselin 1890 Gosselin, Auguste, *Vie de Mgr de Laval*, Québec, 1890, 670 p.

Gosselin 1911 Gosselin, Amédée, *L'instruction au Canada sous le Régime français (1635-1760)*, Québec, Laflamme et Proulx, 1911, p. 346-364.

Gowans 1955 Gowans, Alan, *Church Architecture in New France*, Toronto, University of Toronto Press, 1955, 162 p.

Hautecœur 1948 Hautecœur, Jules, *Histoire de l'architecture classique en France, tome II, Le règne de Louis XIV*, Paris, édition A. et J. Picard et Cie, 1948, 939 p.

Hayward 1959 Hayward, J. F., *Huguenot Silver in England, 1688-1727*, Faber & Faber, 1959, 89 p.

Ignatieff 1974 Ignatieff, Helena, « Silver », Donald Blake Webster (ed.), *The Book of Canadian Antiques*, Toronto, McGraw-Hill Ryerson Limited, 1974, p. 143-160.

Inducle 1880 Inducle, « Le Tableau de St-Louis de Gonzague à la chapelle du Petit Cap », *L'Abeille*, vol. XIII, 11 mars 1880, p. 104.

Kalm, 1749 Kalm, Pehr, *Voyage de Pehr Kalm au Canada en 1749*, Jacques Rousseau et Guy Béthune, Montréal, Le Cercle du livre de France ltée, 1977, 694 p.

Karel 1975 Karel, David, Luc Noppen et Claude Thibault, *François Baillairgé et son œuvre (1759-1830)*, Catalogue d'exposition, Québec, Groupe de recherche en art du Québec de l'Université Laval, ministère des Affaires culturelles et Musée du Québec, 1975, 85 p.

Karel 1992 Karel, David, *Dictionnaire des artistes de langue française en Amérique du Nord, peintres, sculpteurs, dessinateurs, graveurs, photographes et orfèvres*, Québec, Musée du Québec, Sainte-Foy, Presses de l'Université Laval, 1992, 962 p.

Laberge 1963 Laberge, Pierre-Lionel, *Messire Gaspard Dufournel*, Éd. Bois-Lotinville, 1963, 445 p.

Lacroix 1998 Lacroix, Laurier, *Le fonds de tableaux Desjardins, nature et influence*, thèse de doctorat, Québec, Université Laval, Faculté des lettres, 1998, 4 vol. (1169 feuillets).

Laroche 1990 Laroche, Ginette, *L'iconographie jésuite et ses implications culturelles dans l'art et la religion des Québécois (1842-1968)*, thèse de doctorat, Québec, Université Laval, Faculté des lettres, 1990, 2 vol.

Lasnier 1944 Lasnier, Rina et Marius Barbeau, *Madones canadiennes*, Montréal, Éd. Beauchemin, 1944, 289 p.

Lavallée 1968 Lavallée, Gérard, *Anciens ornemanistes et imagiers du Canada français*, Québec, ministère des Affaires culturelles (collection Art, vie et sciences au Canada français, n° 9), 1968, 98 p.

Le Clerc 1691 Le Clerc, Chrétien, *Premier establissement de la foy en Nouvelle-France*, Paris, 1691, 2e vol., p. 95-96.

Lefebvre 1961 ? Lefebvre, Eugène, *Le Guide du pèlerin*, Sainte-Anne-de-Beaupré, s.édit., [1961 ?], 112 p.

Malraux 1954 Malraux, André, *Le musée imaginaire de la sculpture mondiale. Le monde chrétien*, Paris, Librairie Galimard, 1954, 474 p.

Martin 1977 Martin, John Rupert, *Baroque*, New York, Harpert and Row, 1977, 367 p.

Martin 1986 Martin, Denis, « Notes sur l'iconographie de saint François Régis en Nouvelle-France », *Annales d'histoire de l'art canadien*, vol. 9, n° 1, 1986, 27 p.

Martin 1988 Martin, Denis, *Portraits des héros de la Nouvelle-France. Images d'un culte historique*, LaSalle, Hurtubise HMH (Cahiers du Québec), 1988, 176 p.

Moogk 1975 Moogk, Peter N., « Réexamen de l'École des Arts et Métiers de Saint-Joachim », *Revue d'histoire de l'Amérique française*, vol. 29, n° 1 (juin 1975), p. 3-29.

Morisset 1941 Morisset, Gérard, *Coup d'œil sur les arts en Nouvelle-France*, Québec, à compte d'auteur, 1941, 170 p.

Morisset 1944 Morisset, Gérard, *La vie et l'œuvre du frère Luc*, Québec, Medium (collection Champlain), 1944, 142 p.

Morisset 1945 Morisset, Gérard, « L'instrument de paix », *Mémoires de la Société royale du Canada*, Ottawa, 3e série, tome XXXIX (1945), section I, p. 143-161.

Morisset 1947.05 Morisset, Gérard, « La tasse à quêter », *Mémoires de la Société royale du Canada*, Ottawa, 3e série, tome XLI (mai 1947), section I, p. 63-68.

Morisset 1950 Morisset, Gérard, « Madones canadiennes d'autrefois », *La Patrie*, 14 mai 1950, p. 26-27.

Morisset 1957 Morisset, Gérard, QQIBC fonds Gérard Morisset, *Église de L'Ange Gardien*, MQ.

Morisset 1960 Morisset, Gérard, *La peinture traditionnelle au Canada français*, Ottawa, Le Cercle du livre de France (L'encyclopédie du Canada français, t. II), 1960, 216 p.

Morisset 1971 Morisset, Gérard, « Madones canadiennes », *La Revue française de l'élite européenne*, n° 241, mars-avril, 1971, p. 11-16.

Morisset 1980 Morisset, Gérard, réédition critique par Christiane Beauregard, Robert Derome, Laurier Lacroix, Luc Noppen et Michel Gaumond, *Le Cap-Santé, ses églises et son trésor*, Montréal, Musée des beaux-arts de Montréal, 1980, 401 p.

Nicolle 1996 Nicolle, Françoise, *Frère Luc, un peintre du XVIIe siècle à Sézanne*, Sézanne, Rotary Club, 1996, 59 p.

Nocq 1926-1931 Nocq, Henry, *Le poinçon de Paris, répertoire des maîtres-orfèvres de la juridiction de Paris depuis le Moyen Âge jusqu'à la fin du XVIIIe siècle*, Paris, H. Floury, 1926-1931, 5 vol.

Noppen 1974 Noppen, Luc, et dessins de Pierre D'Anjou, *Notre-Dame de Québec, son architecture et son rayonnement (1647-1922)*, Québec, Éditions du Pélican, 1974, 283 p.

Noppen 1977 Noppen, Luc, avec la collaboration d'Achille Murphy, Claude Paulette, Robert Caron, Eugénie Lévesque et Michel Tremblay, *Les églises du Québec (1600-1850)*, Québec et Montréal, Éditeur officiel du Québec et Fides, 1977, 298 p.

Noppen 1979 Noppen, Luc, *Racar*, vol. 6, n° 1, 1979, « Architecture intérieure de Saint-Joachim », p 3.-16.

Noppen 1984 Noppen, Luc, et René Villeneuve, avec la collaboration de Denis Castonguay, *Le trésor du Grand Siècle, l'art et l'architecture du XVIIᵉ siècle à Québec*, Québec, Musée du Québec, 1984, 182 p.

Normand 1999 Normand, Arnold, *Le tableau de l'église Saint-Hilaire*, Rœux, 1999, 30 p.

Ouellet 2004 Ouellet, Pierre-Olivier, *Art et dévotion. Les reliquaires à paperoles. Collection des Hospitalières de Saint-Joseph de l'Hôtel-Dieu de Montréal*, Montréal, Musée des Hospitalières de l'Hôtel-Dieu de Montréal, 2004, 74 p.

Payer 2000 Payer, Claude, « Des Anges ressuscités », *Continuité*, n° 87, hiver 2000-2001, p. 14-16.

Pichette 1977 Pichette, Robert, « Une énigme héraldique : les armes de Bruc sur un tableau à Québec », *Heraldry in Canada*, vol. XI, n° 1, March 1977, p. 4-11.

Poletto 1990 Poletto, Christine, *Art et pouvoirs à l'âge baroque*, Paris, L'Harmattan, 1990, 218 p.

Porter 1978 Porter, John R., *Joseph Légaré 1795-1855, l'œuvre*, Catalogue raisonné, Ottawa, Galerie nationale du Canada, 1978, 157 p.

Porter 1982a Porter, John R., « L'ancien baldaquin du premier palais épiscopal de Québec à Neuville », *Annales d'histoire de l'art canadien*, vol. 6, n° 2, 1982, p. 180-201.

Porter 1982b Porter, John R., « L'abbé Jean-Antoine Aide-Créquy (1749-1780) et de l'essor de la peinture religieuse après la Conquête », *Annales d'histoire de l'art canadien*, vol. 6, n° 2, 1982, p. 55-72.

Porter 1984 Porter, John R., « Antoine Plamondon (1804-1895) et le tableau religieux : perception et valorisation de la copie et de la composition », *Annales d'histoire de l'art canadien*, vol. 8, n° 1, 1984, p. 1-25.

Porter 1986 Porter, John R., et Jean Bélisle, *La sculpture ancienne au Québec. Trois siècles d'art religieux et profane*, Montréal, Les Éditions de l'Homme, 1986, 513 p.

Prioul 1993 Prioul, Didier, *Joseph Légaré, paysagiste*, Thèse de doctorat, Québec, Université Laval, Faculté des lettres, 1993, 388 p.

QMQ 1983 Québec, Musée du Québec, *Le Musée du Québec, 500 œuvres choisies*, Catalogue d'exposition, Québec, Musée du Québec, 1983, 378 p.

QMQ 1984 Québec, Musée du Québec, *Le grand héritage. L'Église catholique et les arts au Québec*, Catalogue d'exposition, Québec, Musée du Québec, 1984, vol. 1, 369 p.

Saint-Vallier 1703 Saint-Vallier Mᵍʳ, *Rituel du diocèse de Québec*, réédité en 1713, Paris, Simon Langlois, 601 p.

Sale 2003 Sale, G., *L'Art des Jésuites*, Menges, Paris, 2003, 319 p.

Simard 1989 Simard, Jean, *Les arts sacrés au Québec*, Boucherville, Les éditions de Mortagne, 1989, 319 p.

Tapié 1957 Tapié, Victor-L., *Baroque et classicisme*, Paris, Plon, 1957, 260 p.

Tapié 1997 Tapié, Victor-Lucien et Didier Souiller, *Le Baroque*, Paris, Presses universitaires de France, Que sais-je ?, 9ᵉ édition corrigée, 1997, 128 p.

Teyssèdre 1967 Teyssèdre, J., *L'art au siècle de Louis XIV*, Paris, Le Livre de poche, 1967.

Têtu 1887 Têtu, H. et C.-O. Gagnon, *Mandements, Évêques de Québec*, Québec, Imprimerie Côté, 1887, 524 p.

Traquair 1947 Traquair, Ramsay, *The Old Architecture of Quebec. A Study of the Buildings Erected in New France from the Earliest Explorers to the Middle of the Nineteenth Century*, Toronto, MacMillan, 1947, 324 p.

Trudel 1968 Trudel, Jean, André Juneau et Georges Massey, *François Ranvoyzé, orfèvre, 1739-1819*, Catalogue d'exposition, Québec, ministère des Affaires culturelles et Musée du Québec, été 1968, 103 pl.

Trudel 1972 Trudel, Jean, *Un chef-d'œuvre de l'art ancien du Québec. La chapelle des Ursulines*, Les Presses de l'Université Laval, 1972, 115 p.

Trudel 1974 Trudel, Jean, *L'orfèvrerie en Nouvelle-France*, Catalogue d'exposition, Ottawa, Galerie nationale du Canada, 1974, 239 p.

Trudel 1975 Trudel, Jean, « Étude sur une statue en argent de Salomon Marion », *Bulletin*, Ottawa, Galerie nationale du Canada, n° 21/1973 (1975), p. 3-21 et 34.

Trudel 1977 Trudel, Jean, « Sasseville, François », *Dictionnaire biographique du Canada, Volume IX, de 1861 à 1870*, Québec, Les Presses de l'Université Laval, 1977, p. 774-775.

Turgeon 2002 Turgeon, Christine, *Le fil de l'art, les broderies des Ursulines de Québec*, Catalogue d'exposition, Québec, Musée du Québec, 2002, 155 p.

Vachon 1982 Vachon, André, Victorin Chabot et André Desrosiers, *Rêves d'Empire. Le Canada avant 1700*, Ottawa, Archives publiques du Canada (Les documents de notre histoire), 1982, 387 p.

Villeneuve 1988 Villeneuve, René, « Amiot, Laurent », *Dictionnaire biographique du Canada, Volume VII, de 1836 à 1850*, Québec, Les Presses de l'Université Laval, 1988, p. 18-19.

Villeneuve 1990 Villeneuve, René, *Le tabernacle de Paul Jourdain*, Musée des beaux-arts du Canada, Ottawa, 1990, 95 p.

Villeneuve 1997 Villeneuve, René, *Du baroque au néoclassicisme. La sculpture au Québec*, Musée des beaux-arts du Canada, Ottawa, 1997, 220 p.

Voyer 1981 Voyer, Louise, avec la collaboration d'André Laberge, Gaétan Chouinard, Claude Paulette et Luc Noppen, *Églises disparues*, Montréal, Libre Expression, 1981, 168 p.

Remerciements

Grand merci à Laurier Lacroix, professeur en histoire de l'art à l'UQAM et spécialiste de la peinture au Québec, qui nous a fait l'honneur de commenter l'ouvrage, prêtant une attention particulière aux tableaux religieux de la Côte-de-Beaupré. Généreux de son temps et de son savoir, il nous a communiqué des données inédites, comme le changement d'attribution du tableau de Sacchi. Notre profonde gratitude va aussi à Claude Payer, de l'atelier de sculpture du Centre de conservation du Québec, pour sa précieuse collaboration. Partageant avec enthousiasme ses connaissances aussi bien que le résultat de certaines recherches, il a permis d'approfondir l'étude des retables et des tabernacles.

Quant à René Villeneuve, conservateur en art canadien ancien au Musée des beaux-arts du Canada, il a aimablement livré ses observations sur le tabernacle de Saint-Damase-de-L'Islet, nous permettant par la suite de faire la lumière sur deux destinations additionnelles. De leur côté, Ginette Laroche, Denis Martin et le père Claude-Roger Nadeau S.J. nous ont fourni des informations fort utiles sur les saints jésuites et leurs attributs. Monsieur Arnold Normand, de Rœux en France, nous a fait bénéficier du fruit de sa recherche sur *Le Christ à l'éponge* de Van Dyck. Claude Belleau, conservateur au MNBAQ, nous a expliqué la démarche qui place la palme dans la main de saint Michel plutôt que dans celle de l'archange Gabriel, alors que Daniel Drouin, conservateur en art ancien, a alimenté notre réflexion sur l'œuvre sculptée de Pierre Émond, nous obligeant ainsi à revoir l'attribution des autels latéraux de Saint-Joachim.

Louise Méthé, artiste graphiste, a su présenter le trésor de la Côte-de-Beaupré de manière à en révéler l'exceptionnelle richesse. Douée d'un sens esthétique très sûr, elle a redonné aux œuvres d'art leur pleine beauté tout en respectant leur caractère religieux. Elle a fait de cet ouvrage une œuvre d'art qui rend hommage aux créateurs et aux artistes des siècles passés.

Merci à Jacques Beardsell, ce photographe talentueux à qui incombait la difficile tâche de créer des éclairages parfaits pour des œuvres habituées à la pénombre, souvent logées dans des coins inaccessibles ou présentant des dimensions excessives. La beauté et la précision des clichés témoignent de la maîtrise de son art. Notre gratitude va aussi aux autres photographes, dont Brigitte Ostiguy pour ses photos classiques de Sainte-Anne-de-Beaupré, François Brault, cinéaste, pour ses lumineuses prises de vues des grands tableaux des églises et les photographes du CCQ pour leurs magnifiques images réalisées dans des conditions optimales de studio. Merci à monsieur Alain Dulin, un collaborateur d'outre-mer, pour avoir très aimablement photographié l'ex-voto du frère Luc.

Merci aussi à François Gagnon, conseiller juridique, qui a parcouru la décision du juge dans le procès de L'Ange-Gardien pour en extraire les points saillants et les traduire dans un langage accessible.

Un tel travail n'a été possible qu'avec la collaboration des professionnels rattachés aux grandes institutions auxquelles nous avons eu recours. Nous avons ainsi pu compter sur les services d'aide à la recherche des Archives nationales du Québec à Québec, en particulier de la section des archives visuelles et photographiques où monsieur Jacques Morin a été d'une aide inestimable. Sympathique et efficace comme toujours, il a été particulièrement habile à dénicher les introuvables. Au Musée national des beaux-arts du Québec, mesdames Lise Nadeau et Nathalie Thibault ont aimablement mis à notre disposition la documentation relative aux œuvres. De son côté, Phyllis Smith, du secteur de la photographie, a patiemment acquiescé à nos nombreuses demandes d'épreuves et de nouvelles prises de vues. Au Centre canadien d'architecture, Andrea Kuchembuck nous a permis de mieux documenter la période baroque et le classicisme. Au Musée des beaux-arts du Canada, l'aide de monsieur Greg Spurgeon a grandement simplifié nos recherches. Au Musée Stewart, au fort de l'île Sainte-Hélène, monsieur Normand Trudel, archiviste des collections et bibliothécaire, s'est empressé de répondre à nos demandes.

Les archivistes des institutions religieuses ont aussi répondu avec diligence à nos demandes répétées et méritent notre plus sincère gratitude. L'archiviste du diocèse de Québec et grand érudit, l'abbé Armand Gagné, a grandement facilité nos recherches sur les inventaires de paroisses. Mesdames Danielle Aubin, Jeanne D'Arc Boissonneault et Anne Laplante, des Archives du Séminaire de Québec, ont contribué à retracer les documents les plus pertinents concernant la Côte-de-Beaupré. L'archiviste du monastère des Rédemptoristes de Sainte-Anne-de-Beaupré, madame Lise Gagnon, secondée par le père Samuel Baillargeon, nous a procuré de précieux renseignements. Grand merci aux religieuses archivistes qui nous ont été d'une assistance précieuse : sœur Marie Marchand des Ursulines de Québec pour son ouverture d'esprit et sa collaboration entière, sœur Rita Caron de l'Hôpital-Général de Québec et sœur Claire Gagnon du Monastère des Augustines de l'Hôtel-Dieu de Québec pour leur empressement à répondre à nos inter-rogations. Sœur Marie-Berthe Bailly, sœur Claudette Ledet et sœur Céline Lacoursière nous ont très aimablement aidés pour les questions relatives aux productions de l'atelier des Sœurs du Bon-Pasteur. Enfin, merci au père Jean-Guy Saint-Arnaud S.J., de la maison Dauphine, pour les renseignements sur les biens des Jésuites.

Notre recherche sur le trésor de la Côte-de-Beaupré n'aurait pas été possible sans avoir eu accès aux lieux de culte et aux œuvres en place et sans avoir pu consulter les livres de comptes anciens conservés dans les voûtes des paroisses. Ainsi, l'abbé Denis Lalancette, curé de L'Ange-Gardien et de Château-Richer, a été le premier à nous ouvrir les portes. Le père Raymond Tremblay, supérieur du monastère des Rédemptoristes, nous a laissé explorer Sainte-Anne-de-Beaupré. Nous sommes également redevables à l'abbé Jacques Roberge, procureur du Séminaire de Québec, à l'abbé René Bégin du Petit Cap, à l'abbé Louis-Georges Caron, curé de Saint-Damase-de-L'Islet, ainsi qu'aux marguilliers de Saint-Apollinaire et de Saint-Antoine-de-Tilly, dont madame Pierrette Massicotte. Finalement, nous avons reçu une collaboration exceptionnelle des sacristains et du personnel des églises : madame Georgette Drouin pour Château-Richer, monsieur Émile Gagné pour Sainte-Anne-de-Beaupré et monsieur Gilles Drouin pour L'Ange-Gardien. Quant à monsieur Michel Verreault, sacristain de l'église de Saint-Joachim, il mérite notre plus vive reconnaissance pour nous avoir accompagnés avec patience, gentillesse et humour au cours des nombreuses et longues séances de prises de vues.

Des gens du milieu nous ont aussi instruits de leurs intérêts particuliers, dont Mgr Marc Leclerc pour le procès de L'Ange-Gardien, le docteur Jean-Claude Lafleur pour l'histoire de Saint-Apollinaire, Réjean Brousseau et Lise Drolet-Michaud pour l'histoire de l'église de Saint-Antoine-de-Tilly et Rémi Morissette pour l'information sur le baldaquin de Neuville. Également, de jeunes étudiants en histoire de l'art ou en architecture, comme Guillaume Savard, Gabriel Ouellet et Mathieu Lachance, nous ont impressionnés par leurs connaissances et rassurés sur la passion qui anime la relève en art ancien au Québec. Quant à Lisette Laplante, Lise Buteau et Raymond Gariépy, leur profonde ferveur pour la cause du patrimoine de la Côte-de-Beaupré a contribué à soutenir notre désir de réaliser ce bel ouvrage.

De nombreuses personnes nous ont aidé à réaliser ce livre, au premier rang desquelles vient Michel Barry qui a contribué à la recherche et à la conception, portant une attention particulière à la rédaction et à la révision des textes. Son souci de la perfection nous a amenés à d'innombrables précisions, améliorant d'autant la clarté du propos. Sans son soutien indéfectible et sa détermination, ce livre n'aurait pas vu le jour. Nous avons aussi pu compter sur quatre réviseurs à l'œil vigilant qui ont passé le texte au crible, à la recherche de la sournoise anacoluthe et autres pièges de la langue française. Tandis que Giselle Poupart se concentrait sur la qualité générale de la langue, Paulette Villeneuve, autrefois du bureau d'édition de Flammarion, veillait à la syntaxe et à la grammaire. Marie Dufour s'est penchée sur les règles de la typographie alors que Jean Barry s'est occupé de la relecture des épreuves finales. Suzanne Boyer a inlassablement dactylographié les cent et une versions du texte et effectué un travail de bénédictin à entrer les innombrables petites modifications. Pour sa part, Mélanie Villeneuve a prêté main-forte à la recherche sur Internet.

Enfin, toute notre tendresse va à nos conjoints respectifs, Michel et Johanne, pour leur participation dans cette belle aventure, ainsi qu'à nos fils, François et Maxime.

Madeleine Landry
Robert Derome

Mentions de provenance

Les photographes

Altman, Patrick	48, 49, 51, 54, 55, 58, 60, 63, 81, 87, 88, 93, 125
Barry, Michel	113, 217
Beardsell, Jacques	4, 7, 9, 40, 41, 42, 44, 52, 56, 64, 65, 66, 67, 68, 69, 70, 71, 72, 73, 74, 75, 76, 77, 78, 82, 86, 95, 96, 97, 98, 99, 101, 102, 103, 104, 105, 106, 107, 108, 109, 110, 111, 112, 114, 115, 116, 119, 123, 126, 127, 128, 129, 130, 131, 132, 133, 134, 135, 136, 137, 138, 143, 144, 145, 146, 147, 149, 150, 152, 153, 160, 161, 166, 178, 179, 182, 183, 196, 197, 200, 209, 210, 213, 216
Blanchet, Jean	38, 39
Brault, François	140, 141, 142, 154
Derome, Robert	5, 169, 170, 171, 172, 176, 177, 185, 186, 187, 188, 190, 191, 192, 193, 199a, 199b, 201, 202, 203, 204, 205, 206, 207, 208, 214 et poinçons p.155, 156, 163, 175, 182
Dulin, Alain	124
Élie, Michel	30, 89
Gaumond, Michel	25
Hall, Rick	148
Labrie, Idra	151
Lessard, Jacques	173
Mercier, Alexis	10
Méthé, Louise	100, 155
Ostiguy, Brigitte	2, 24, 37, 43, 85
Payer, Claude	90, 91, 94
Soulard, Pierre	162, 163, 175, 180, 181, 184, 198, 211

Les dessinateurs

Barry, Michel	79
D'Anjou, Pierre	13
Méthé, Louise	29, 35, 45

Les fonds iconographiques

Archives de la Basilique de Sainte-Anne-de-Beaupré	23, 36
Archives du Séminaire de Québec	12, 14
Archives nationales du Canada	21
Archives nationales du Québec à Québec	8, 18, 19, 20, 31, 32, 46, 47, 50, 53, 57, 59, 61, 83, 84, 157, 164, 167, 168, 194, 195, 209, 212
Bibliothèque de la Compagnie de Jésus, Collège Jean-de-Brébeuf	121
Collection d'architecture canadienne John Bland, Université McGill	16, 17, 22, 26, 27, 28
Institute of Art, Detroit	165
Institut royal du patrimoine artistique, Bruxelles	156
Les Publications du Québec, ministère de la Culture et des Communications	139
Musée de la civilisation, Québec	62, 118, 159, 174
Musée des beaux-arts du Canada, Ottawa	6, 15, 92, 189
Musée et Institut national d'histoire du théâtre, Budapest	120
Musée Plantin-Moretus, Anvers	158
Réunion des Musées nationaux, Art Resource, NY	1
Scala, Art Resource, NY	117, 122
Service historique de l'Armée de terre, France	11
Vues de Paris, Michelin	80

Table des matières

Index

Le présent index comprend les noms de personnes, de lieux et d'œuvres. Cependant, des entrées comme Sainte-Anne-de-Beaupré, L'Ange-Gardien, Château-Richer, Fleuve Saint-Laurent, France, Nouvelle-France, Saint-Joachim, Côte-de-Beaupré, etc., étant trop récurrentes, elles n'ont pas été retenues.

206

207

COMPOSÉ EN PALATINO CORPS 10
SELON UNE MAQUETTE RÉALISÉE PAR LOUISE MÉTHÉ
CET OUVRAGE A ÉTÉ ACHEVÉ D'IMPRIMER EN SEPTEMBRE 2005
SUR PAPIER HORIZON GLOSS 200M
SOUS L'ŒIL ATTENTIF DE YVON BÉGIN
DES PRESSES LITHOCHIC À QUÉBEC
ET RELIÉ AUX ATELIERS MULTI-RELIURE S. F.
SOUS L'HABILE DIRECTION DE SUZANNE FERRON
LE TOUT POUR LE COMPTE
DE GILLES HERMAN ET DENIS VAUGEOIS
ÉDITEURS À L'ENSEIGNE DU SEPTENTRION